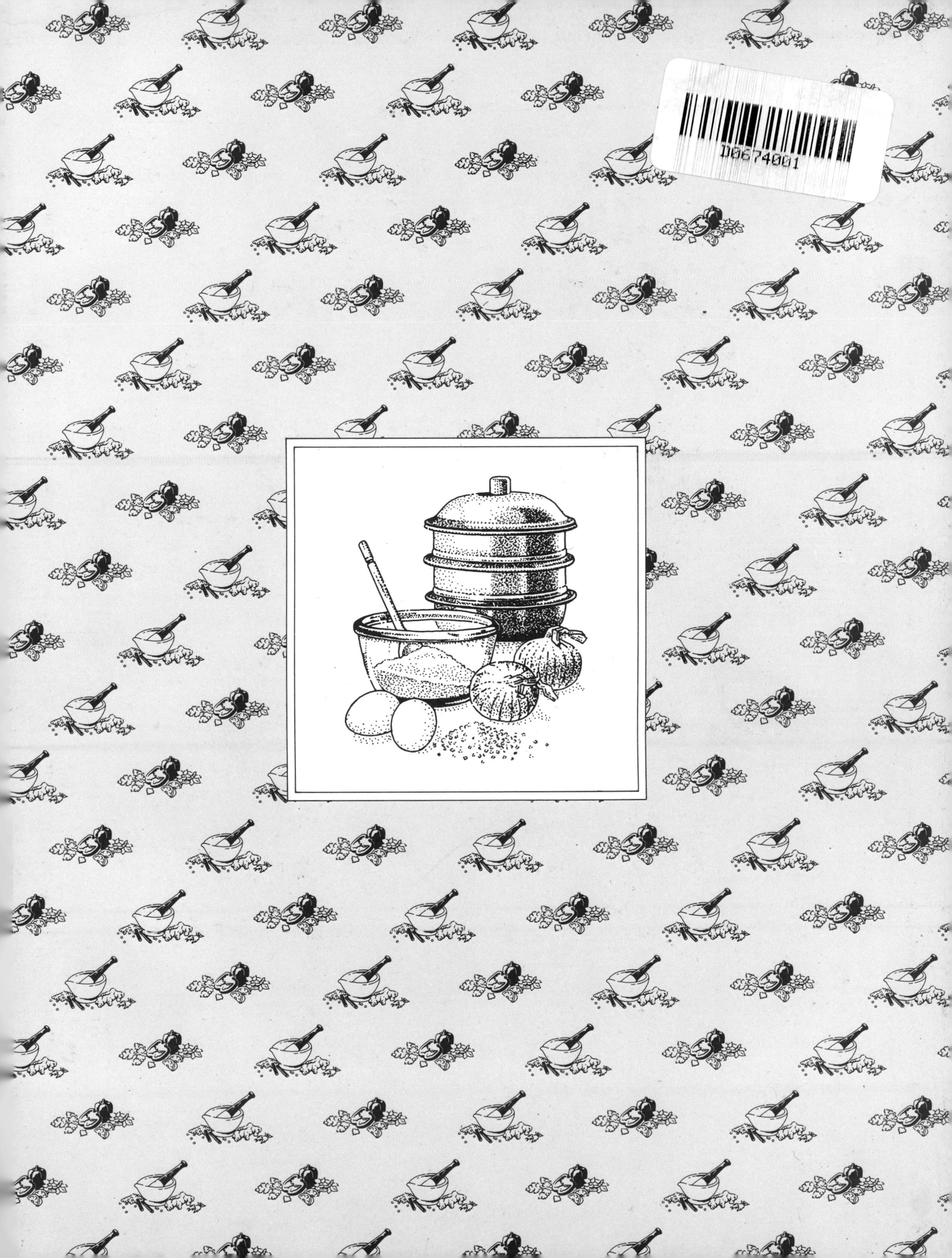
D0674001

LA CUISINE À LA VAPEUR

LA CUISINE À LA VAPEUR

SANS PROBLÈME

Adaptation française de Elisabeth de Galbert

Texte original de Kate Benson

Photographies de Clive Streeter
Dessins au trait de Jane Cradock-Watson

Première édition française 1988 par Librairie Gründ, Paris

ISBN : 2-7000-5725-2
Dépôt légal : septembre 1988
Édition originale 1988 par Hamlyn Publishing Group Ltd

Photocomposition : COMPO 2000, Saint-Lô
Imprimé par Mandarin Offset, Hong Kong

SOMMAIRE

Température du four :

	°C	Gaz
Très doux	110	1/4
	120	1/2
Doux	140	1
	150	2
Moyen	160	3
	180	4
Moyennement chaud	190	5
	200	6
Chaud	220	7
	230	8
Très chaud	240	9

Toutes les cuillères sont rases, sauf indication contraire.
1 cuillère à soupe : 15 ml
1 cuillère à café : 5 ml.

Toutes nos recettes sont établies pour 4 personnes, sauf indication contraire.

AVANT-PROPOS

D'après moi, la condition indispensable pour bien cuisiner est d'apprécier soi-même la bonne cuisine. La cuisine n'est pas un art difficile, mais comme tout art, elle nécessite une certaine pratique, afin d'acquérir l'expérience nécessaire. Si vous êtes capable de lire une recette et de vous mettre à l'œuvre avec un peu d'enthousiasme, et si vous n'hésitez pas à essayer vous-même de nouvelles recettes ou à les faire essayer à des amis qui ne se doutent de rien, vous êtes sur la bonne voie pour devenir un vrai cordon bleu.

Un certain nombre de principes essentiels doivent être respectés en toute circonstance. Vous devez d'abord apprendre à prévoir et à bien vous organiser. Lisez attentivement les recettes que vous voulez réaliser et prévoyez le temps nécessaire pour faire mariner, pour préparer et pour faire cuire les ingrédients. Il serait regrettable que vous découvriez au dernier moment, alors que vos invités sont sur le point d'arriver, que vous devez faire mariner l'un ou l'autre des ingrédients pendant plusieurs heures !

Autre point important, utilisez toujours du bon bouillon. Au bouillon en cube qui constitue un mauvais ersatz préférez, pour préparer une sauce, du bouillon réduit — c'est-à-dire du bouillon que l'on a fait bouillir pour qu'il ait davantage de saveur.

Mieux vaut utiliser des produits frais que congelés, profitez donc au maximum des produits de saison. La liste des produits (page 121) vous indiquera à quel moment de l'année tel ou tel ingrédient se trouve facilement.

Vos invités ne doivent jamais être surpris par l'aspect d'un plat ; vous ne devez pas non plus avoir envie de le conserver à tout jamais, mais bien plutôt de le manger immédiatement tellement il semble bon. Évitez les plats trop sophistiqués.

L'objectif de ce livre est de vous faire découvrir les avantages de la cuisine à la vapeur, tout en vous donnant un certain nombre d'idées. Une fois que vous maîtriserez les différentes techniques, vous pourrez vous amuser à inventer vous-même de nouvelles recettes. Mieux vaut toutefois commencer par les recettes de ce livre, lesquelles ont toutes été testées.

Toutes les recettes qui figurent dans cet ouvrage sont simples et faciles à exécuter ; vous n'avez donc plus aucune excuse pour ne pas préparer de bons petits plats appétissants qui feront la joie de vos invités.

Bonne chance !

INTRODUCTION

La cuisson à la vapeur était jadis une méthode de cuisson couramment utilisée, à une époque où les femmes avaient beaucoup plus de temps à consacrer à la cuisine. Aujourd'hui, alors que tout le monde mène une vie de plus en plus active et pressée, et que de plus en plus de femmes travaillent à l'extérieur, les méthodes de cuisson plus rapides et plus simples — friture, gril et, plus récemment, micro-ondes — semblent l'emporter sur les méthodes plus classiques, mais plus lentes.

Il y a trois façons de cuire à la vapeur. La première permet de cuire rapidement la viande, le poisson et les légumes en les suspendant au-dessus d'une casserole remplie d'eau bouillante. C'est la méthode la plus couramment utilisée aujourd'hui, laquelle présente un certain nombre d'avantages sur les autres méthodes de cuisson : les aliments ne bougent pas et cuisent doucement, sans se décomposer ; ils gardent leur couleur et toute leur saveur ; enfin, si vous remplacez l'eau par du vrai bouillon, du court-bouillon ou tout autre liquide aromatique, vous augmenterez la saveur et les qualités nutritives des aliments, tout en obtenant la base nécessaire à la préparation d'une sauce savoureuse.

La seconde méthode est la cuisson au bain-marie : les aliments sont mis dans un récipient placé au-dessus de, ou dans, une casserole d'eau bouillante ; ils cuisent dans leur propre jus, sans entrer en contact ni avec le liquide, ni avec la vapeur. Par rapport à la cuisson au four, la cuisson à la vapeur garantit une température exacte et une répartition homogène de la chaleur.

La troisième méthode est la méthode orientale utilisée pour faire cuire le riz : après avoir été soigneusement lavé, le riz est plongé dans l'eau. Pour obtenir de meilleurs résultats, l'eau doit recouvrir le riz et le dépasser de 2,5 cm. Portez l'eau à ébullition, couvrez et laissez cuire à feu très doux pendant 15-20 minutes.

Il y a quatre règles d'or que vous ne devez jamais oublier :

1. La cocotte à vapeur doit être fermée le plus hermétiquement possible, de manière à ce que ni la vapeur, ni aucun élément nutritif, ne puissent s'échapper.

2. Le liquide se trouvant dans le compartiment inférieur ne doit jamais toucher le fond du compartiment supérieur, sinon les aliments risquent de bouillir et de se transformer en une bouillie indigeste.

3. Le liquide se trouvant dans le compartiment inférieur ne doit pas bouillir trop fort, sinon il risque de s'évaporer... et il ne restera plus rien de votre délicieux bouillon ! Le temps de cuisson ne pourra alors qu'être estimé de manière très approximative. Il est conseillé d'avoir toujours à portée de main un peu de bouillon ou d'eau frémissante, susceptibles d'être ajoutés en cas de nécessité, et de vérifier le niveau du liquide toutes les 10-15 minutes.

4. La vapeur est tellement chaude que, même si vous éteignez votre cuisinière, les aliments continueront à cuire si vous ne les enlevez pas immédiatement de la cocotte. Vous devez donc servir immédiatement ou bien couvrir le plat avec du papier aluminium et le mettre au chaud, afin que les aliments conservent toute leur saveur et leurs éléments nutritifs.

LES COCOTTES A VAPEUR

On trouve dans le commerce des cocottes à vapeur de forme et de taille différentes, mais toutes fonctionnent selon les mêmes principes.

Une cocotte comporte trois parties distinctes : un compartiment inférieur dans lequel est mis le liquide et qui peut être un faitout ou un wok ; un compartiment perforé dans lequel sont placés les aliments ; il s'agit d'un simple panier percé de trous qui laissent passer la vapeur. Généralement plusieurs paniers peuvent se superposer. Enfin un couvercle permet de bien fermer la cocotte, même si des fuites sont inévitables.

Le modèle le plus performant est une grande cocotte à vapeur qui comporte deux ou trois paniers, voire plus, et dans laquelle la viande et les légumes peuvent cuire séparément. Il existe dans le commerce un modèle de ce type qui fonctionne à l'électricité. Un élément commandé par thermostat, situé sous le compartiment inférieur, chauffe l'eau ou le liquide. Les paniers sont suffisamment grands pour que l'on puisse cuire des aliments sur deux niveaux à la fois. Un couvercle bombé bien ajusté empêche la vapeur de s'échapper ; il est suffisamment haut pour que l'on puisse faire cuire des gâteaux ou des volailles.

Cette méthode de cuisson est la même que celle utilisée avec les

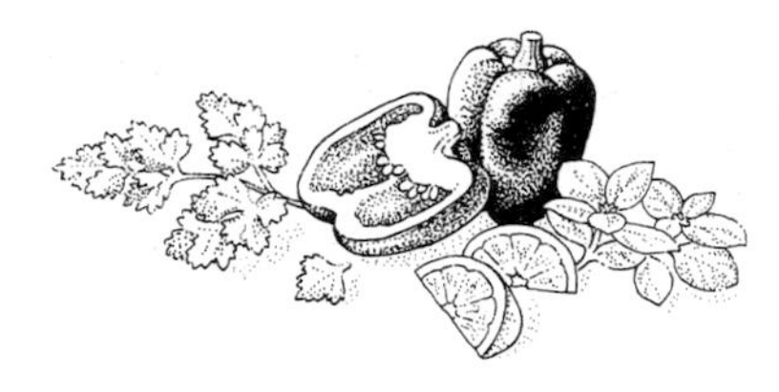

cocottes classiques chinoises en bambou dans lesquelles plusieurs paniers ronds sont superposés et fermés par un couvercle en bambou ; ces paniers sont placés avec précaution sur un wok rempli d'eau bouillante et la vapeur qui circule permet de cuire les différents aliments.

Le wok est idéal pour la cuisson à la vapeur ; il suffit de placer les aliments sur un support métallique au-dessus de l'eau bouillante et de couvrir avec un couvercle bombé. En Afrique du Nord, les indigènes utilisent un couscoussier — grande marmite sur laquelle est placé un grand bol, le kès-kès — pour faire cuire le couscous (cf. Pâtes, légumineuses et céréales).

Les deux modèles sans doute les plus courants, les moins chers et les plus faciles à utiliser, sont la cocotte en aluminium toute simple comportant des graduations sur le bord et le panier métallique extensible, monté sur pieds. Ces deux modèles sont suffisamment souples pour s'adapter sur toute

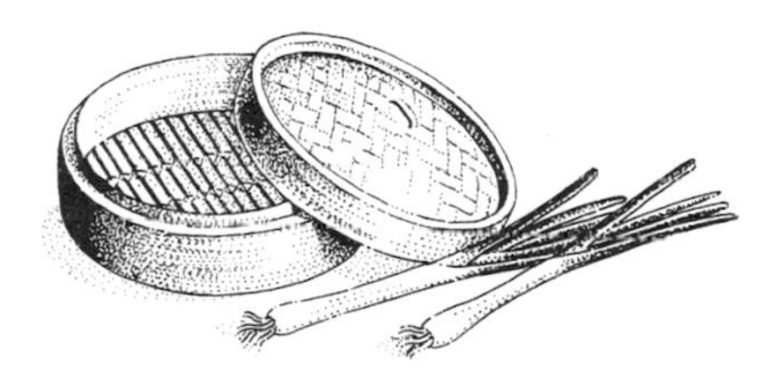

une gamme de faitouts de taille différente.

IMPROVISER

Si vous ne disposez pas de cocotte, vous pouvez improviser.

Mettez une passoire dans un faitout et couvrez avec du papier aluminium, Vous pouvez également utiliser un plat à gratin relativement profond ; il vous suffit de le remplir d'eau aux deux tiers et de placer un support métallique juste au-dessus de l'eau ; disposez les aliments sur le support et couvrez avec une feuille de papier aluminium.

Cette méthode de cuisson est utilisée pour faire cuire de longs poissons ou d'autres aliments relativement volumineux.

Si vous préférez la cuisson au bain-marie, placez un petit support métallique ou un plat allant au four et mis à l'envers dans un grand faitout pour empêcher votre récipient de toucher le fond. Couvrez le récipient et mettez-le dans le faitout ; remplissez le faitout d'eau bouillante à mi-hauteur. Fermez et veillez à ce que le faitout soit suffisamment grand pour que la vapeur circule tout autour du fond du récipient.

Enfin, si vous voulez faire cuire à la vapeur les aliments dans leur propre jus, superposez deux plats en mettant celui du dessus à l'envers, mettez les aliments à l'intérieur et placez le tout au-dessus du faitout.

POISSONS ET CRUSTACÉS

Le poisson est l'un des aliments les plus riches en protéines et les plus pauvres en matières grasses et en hydrates de carbone. Contrairement aux graisses animales qui sont saturées, les graisses se trouvant dans le poisson sont polyinsaturées. Du fait de l'importance de plus en plus grande accordée à la diététique et des qualités nutritionnelles exceptionnelles du poisson, cet aliment a fort heureusement été redécouvert et est enfin apprécié à sa juste valeur. La cuisson à la vapeur est la méthode la plus efficace pour préserver les éléments nutritionnels et l'arôme du poisson. De nombreuses espèces de poissons sont mentionnées dans ce chapitre ; vous pouvez toujours innover en remplaçant les poissons et les crustacés utilisés dans les recettes par vos poissons préférés.

Brochettes de coquilles Saint-Jacques (page 20)

FUMET DE POISSON

Vous verrez dans les recettes qui suivent que le fumet de poisson sert souvent de base pour préparer de délicieuses sauces. Il peut être fait d'avance et conservé au réfrigérateur, ou bien dans le congélateur, dans un bac à glaçons.

▷ Mettez tous les ingrédients dans un grand faitout. Recouvrez d'eau et portez à ébullition. Laissez mijoter pendant 20-30 minutes, en écumant de temps en temps. *Ne dépassez pas 30 minutes, sinon les arêtes donneraient un goût amer.*

Passez le bouillon à travers un linge ou un tamis. Pour lui donner plus de saveur, faites-le bouillir à nouveau rapidement pour le faire réduire.

Salez, poivrez et ajoutez le jus de citron.

1 petit oignon haché gros
1 petite carotte hachée gros
1 branche de céleri hachée gros
1 petit poireau haché gros
arêtes de poisson, parures et carapaces de crustacés écrasées
2-3 branches de persil - 1 feuille de laurier.
1 pincée d'herbes fraîches hachées, par exemple aneth, fenouil ou thym
champignons
sel et poivre fraîchement moulu
jus de citron

POISSON AUX HERBES DU JARDIN

Utilisez n'importe quel poisson entier : brème, dorade, barbue, truite saumonée... Suivez la recette scrupuleusement, pesez le poisson et calculez le temps du cuisson nécessaire, en comptant 10 minutes par livre.

Ne vous inquiétez pas si vous ne trouvez pas toutes les herbes indiquées ; utilisez-en le maximum et complétez avec du persil haché.

▷ Lavez soigneusement l'intérieur du poisson. Disposez-le dans un plat creux avec les fines herbes, le jus de citron, l'huile, le vin blanc, le fumet de poisson, le sel et le poivre. Laissez mariner pendant 3 heures ou, de préférence, toute la nuit, en retournant le poisson de temps en temps.

Mettez le poisson dans le compartiment supérieur de la cocotte et passez la marinade dans le faitout se trouvant en-dessous. Salez et poivrez à nouveau. Couvrez et laissez cuire 20 mn (si votre cocotte est trop petite pour le poisson, suivez le conseil donné page 9 dans « **Improviser** » et disposez votre poisson sur un support métallique au-dessus d'un plat contenant la marinade ; couvrez avec un dôme de papier aluminium).

Disposez le poisson dans le plat de service préalablement chauffé et tenez au chaud. Réduisez le liquide de cuisson en le faisant bouillir un court instant, jusqu'à ce qu'il devienne sirupeux, laissez mijoter à feu doux en incorporant le beurre morceau par morceau jusqu'à obtention d'une sauce crémeuse.

Ajoutez les herbes hachées. Goûtez et rectifiez l'assaisonnement si nécessaire. Nappez le poisson avec la sauce ou servez séparément. Décorez avec les quartiers de citron et les fines herbes.

1 poisson entier de 1 kg, nettoyé et écaillé
thym, fenouil, aneth, ciboulette et persil pour la marinade
jus de 1 citron
2 cuillères à soupe d'huile d'olive
30 cl de vin blanc
30 cl de fumet de poisson (page 11)
sel et poivre fraîchement moulu
50 g de beurre coupé en petits morceaux
3 cuillères à soupe d'herbes fraîches hachées, par exemple fenouil, aneth, ciboulette et persil

Pour décorer
quartiers de citron
fines herbes

MULET À LA SAUCE TOMATE PIQUANTE

1 mulet de 1 kg, nettoyé et écaillé
sel et poivre fraîchement moulu
2 cuillères à soupe de vinaigre de vin blanc
2 cuillères à soupe d'huile
branches de persil

Sauce tomate
1 cuillère à soupe d'huile d'olive
2 échalotes, hachées fin
1 gros poivron jaune, épépiné et haché gros
1 boîte de tomates coupées en morceaux (450 g)
1 cuillère à café de câpres, lavées
30 cl de fumet de poisson (page 11)
sel et poivre fraîchement moulu

Pour décorer
feuilles de laurier, aneth, persil ou ciboulette
1 tomate pelée, épépinée et coupée en julienne

Si vous ne trouvez pas de mulet, remplacez-le par des filets d'églefin.

▷ Rincez soigneusement le poisson à l'eau froide. Salez et poivrez abondamment. Disposez le poisson dans un plat creux avec le vinaigre, l'huile et le persil. Laissez mariner pendant 3 heures ou, de préférence, toute la nuit, en retournant le poisson de temps en temps.

Pendant ce temps, préparez la sauce. Faites chauffer l'huile dans un faitout et faites revenir l'échalote et le poivron jusqu'à ce qu'ils soient cuits, sans les faire roussir. Incorporez les tomates, les câpres et le fumet de poisson. Salez et poivrez abondamment. Portez à ébullition.

Réservez la marinade, placez le poisson dans la cocotte et couvrez. Laissez la sauce mijoter pendant 20 minutes. *Vérifiez souvent le niveau de liquide et ajoutez de l'eau bouillante si nécessaire.*

Sortez le poisson de la cocotte, enlevez la peau et tenez au chaud. Passez la sauce au mixeur jusqu'à obtention d'un mélange onctueux.

Versez la moitié de la sauce dans le plat de service préalablement chauffé et disposez le poisson par-dessus. Nappez avec le reste de sauce.

Décorez avec les herbes et les petits morceaux de tomates.

BROCHETTES DE LOTTE ET DE CHAMPIGNONS

1 kg de lotte, sans peau, ni arêtes, coupée en 32 petits morceaux
6 girolles lavées
sel et poivre fraîchement moulu
jus de 1 citron
1 cuillère à soupe de vinaigre de vin blanc
1 cuillère à soupe d'huile d'olive
3 cuillères à café de poivre vert en grains, bien lavé
30 cl de fumet de poisson (page 11)
50 g de beurre coupé en petit morceaux
cerfeuil pour décorer
quatre piques en bois

Selon la saison, les girolles peuvent être remplacées par n'importe quelle variété de champignons.

▷ Enfilez deux morceaux de poisson, puis la moitié d'un champignon sur chacune des quatre piques, et ainsi de suite, jusqu'à ce que vous ayez huit morceaux de poisson et trois morceaux de champignon sur chaque pique. Salez et poivrez abondamment. Dans un plat creux, mélangez le jus de citron, le vinaigre, l'huile et 1 cuillère à café de poivre vert. Mettez les brochettes dans la marinade et laissez-les mariner pendant 3 heures en les retournant.

Tapissez le fond du compartiment supérieur de la cocotte avec du papier aluminium et disposez les brochettes par-dessus. Versez la marinade dans le compartiment inférieur avec le fumet de poisson et 2 cuillères à café de poivre vert, et portez à ébullition. Couvrez et faites cuire les brochettes au-dessus de la marinade pendant 15 minutes. *Vérifiez régulièrement le niveau du liquide.*

Disposez les brochettes dans les assiettes préalablement chauffées et tenez au chaud. Réduisez le fumet de poisson en le faisant bouillir un court instant, jusqu'à ce qu'il devienne sirupeux. Incorporez le beurre morceau par morceau, de manière à obtenir une sauce onctueuse. Nappez le poisson avec cette sauce et décorez avec le cerfeuil. Servez immédiatement.

MORUE FRAÎCHE AUX POIVRONS ROUGES

Trop souvent cet excellent poisson est transformé en un plat insipide et sec. Pourtant la morue marinée dans une sauce aux poivrons rouges constitue un mets raffiné et savoureux.

jus de 1 citron
1 cuillère à soupe d'huile d'olive
1 échalote hachée fin
2 branches de persil
sel et poivre fraîchement moulu
4 tranches de morue (200-225 g) fraîche
2 poivrons rouges
15 cl de fumet de poisson bien relevé (page 11)

▷ Mélangez le jus de citron, l'huile, l'échalote et le persil dans un plat creux. Salez et poivrez abondamment. Ajoutez la morue, couvrez avec la marinade et laissez mariner pendant 2 heures, en retournant le poisson de temps en temps.

Faites griller les poivrons rouges jusqu'à ce que la peau soit entièrement noire. Enlevez la peau et rincez sous l'eau froide. Épépinez et coupez en gros morceaux un poivron et demi, coupez la dernière moitié en fines lamelles que vous réserverez pour la décoration.

Mettez le fumet de poisson et les morceaux de poivron dans le compartiment inférieur de la cocotte. Portez à ébullition. Tapissez le fond du compartiment supérieur avec du papier sulfurisé humide et disposez les tranches de morue par-dessus. Couvrez. Faites cuire pendant 8 minutes. Enlevez le poisson et tenez-le au chaud. Passez les poivrons et le fumet de poisson au mixeur, jusqu'à obtention d'un mélange onctueux. Goûtez et rectifiez l'assaisonnement si nécessaire.

Répartissez la sauce aux poivrons dans quatre assiettes préalablement chauffées. Disposez les tranches de morue par-dessus et décorez avec les lamelles de poivrons rouges. Servez immédiatement.

CONGRE AU MAÏS

Le congre a un goût très fort auquel il faut s'habituer. Il peut se servir chaud ou froid, mais est meilleur froid.

1 épi de maïs
30 cl de fumet de poisson (page 11)
4 tranches de congre, sans la peau
sel et poivre fraîchement moulu
1 cuillère à soupe de ciboulette hachée
1 cuillère à soupe de vinaigre de vin blanc
1 cuillère à soupe d'huile d'olive
1 cuillère à soupe de jus de citron
feuilles de salade
4 tranches de lard maigre découennées, cuites et hachées
ciboulette hachée

▷ Enlevez les grains de l'épi de maïs et mettez-les dans le compartiment inférieur de la cocotte avec l'épi et le fumet de poisson. Portez à ébullition. Mettez les tranches de congre dans le compartiment supérieur, salez, poivrez et ajoutez la ciboulette. Faites cuire pendant 15-20 mn. Couvrez avec du papier sulfurisé et laissez refroidir.

Enlevez l'épi de maïs du fumet de poisson et jetez-le. Ajoutez le vinaigre. Goûtez et rectifiez l'assaisonnement si nécessaire. Passez le mélange au mixeur et versez-le dans une casserole propre. Faites-le bouillir pour obtenir un mélange sirupeux. Laissez refroidir la sauce.

Mélangez l'huile et le jus de citron et assaisonnez à votre convenance. Mélangez délicatement les feuilles de salade avec la sauce et répartissez-la dans quatre assiettes. Ajoutez les tranches de congre et nappez avec la sauce au maïs. Décorez avec le lard haché et la ciboulette.

TRUITE SAUMONÉE À LA VAPEUR

1 truite saumonée de 1,25 kg, nettoyée
225 g de lard maigre, coupé en lanières
100 g de champignons hachés gros
sel et poivre fraîchement moulu
jus de 2 citrons
2 cuillères à soupe d'huile d'olive
5 cuillères à soupe de vin blanc
1 grosse romaine, lavée et épluchée
50 cl de court-bouillon (ci-dessous)
herbes fraîches pour décorer, aneth, fenouil, ciboulette, persil...
Sauce hollandaise
225 g de beurre
2 jaunes d'œufs
2 cuillères à soupe de jus de citron

La sauce hollandaise figurant dans cette recette peut être relevée avec les herbes de votre choix, ou rester nature comme indiqué ci-dessous. Vous pouvez ajouter une rondelle de citron pour décorer.

▻ Lavez la truite sous l'eau du robinet. Si nécessaire, enlevez le sang restant sur la grande arête pour que le poisson n'ait pas un goût amer. Mélangez le lard et les champignons, assaisonnez et farcissez le poisson avec ce mélange.

Disposez le poisson dans un plat creux avec le jus de citron, l'huile d'olive et le vin blanc. Laissez mariner 2-3 heures, en retournant le poisson une ou deux fois.

Faites cuire à la vapeur les feuilles de romaine pendant 30 secondes-1 minute, puis plongez-les immédiatement dans l'eau glacée. Enlevez le poisson de la marinade et enveloppez-le dans les feuilles de salade, en assaisonnant à votre convenance.

Faites bouillir le reste de la marinade en même temps que le court-bouillon. Placez le poisson dans le compartiment supérieur de la cocotte. Couvrez et faites cuire à la vapeur pendant 20 mn.

Pendant ce temps, préparez la sauce hollandaise. Faites fondre le beurre jusqu'à ce qu'il commence à mousser. Passez les jaunes d'œufs et le jus de citron au mixeur, salez et poivrez abondamment. Incorporez le beurre progressivement. Dès que tout le beurre a été incorporé, arrêtez immédiatement l'appareil. Versez la sauce dans un récipient et placez celui-ci sur une casserole d'eau chaude jusqu'à ce que le mélange soit bien chaud.

Disposez le poisson sur le plat de service préalablement chauffé et décoré d'herbes fraîches, servez la sauce séparément.

COURT-BOUILLON

1 l d'eau
15 cl de vinaigre
1 carotte lavée, en rondelles
1 petit oignon pelé, piqué d'un clou de girofle
1 branche de céleri coupée en morceaux
2 feuilles de laurier
8 grains de poivre
sel
3 branches de persil

Le court-bouillon sert à pocher le poisson, mais donne également une saveur agréable au poisson cuit à la vapeur.

▻ Mélangez tous les ingrédients, portez à ébullition et salez légèrement. Couvrez et laissez mijoter pendant 20 minutes. Passez le court-bouillon avant de l'utiliser.

De haut en bas : *tresses de saumon et de turbot (page 16) ; truite saumonée à la vapeur*

TRESSES DE SAUMON ET DE TURBOT

1,5 kg de filets de saumon ou de truite, sans peau
700 g de filets de turbot ou de carrelet, sans peau
1 l de court-bouillon
Sauce hollandaise
225 g de beurre
3 jaunes d'œufs
2 cuillères à soupe de jus de citron
sel et poivre fraîchement moulu
2 cuillères à soupe de ciboulette hachée
aneth ou ciboulette hachée pour décorer

Cette recette n'est pas difficile. Le résultat est excellent et vos invités se régaleront. Pour que ce plat soit plus économique, vous pouvez utiliser de la truite saumonée et du carrelet.

▷ Coupez le saumon en huit bandes (15 cm × 1 cm × 1cm). Coupez le turbot en quatre bandes de mêmes dimensions. Tressez le poisson en utilisant à chaque fois deux bandes roses et une bande blanche. Placez au fond du compartiment supérieur de la cocotte une feuille de papier sulfurisé humide et disposez les tresses dessus. Portez à ébullition le court-bouillon. Couvrez le poisson et faites cuire 10 minutes, ou jusqu'à ce que le poisson soit juste ferme.

Cinq minutes avant de servir, préparez la sauce hollandaise. Faites fondre le beurre dans une casserole. Passez les jaunes d'œufs, le jus de citron, le sel et le poivre au mixeur. Incorporez progressivement le beurre. Dès que tout le beurre a été incorporé, arrêtez immédiatement l'appareil. Incorporez la ciboulette, versez la sauce dans un récipient et placez celui-ci sur une casserole d'eau chaude jusqu'à ce que le mélange soit chaud.

Répartissez la sauce hollandaise dans quatre assiettes et disposez une tresse sur chacune. Décorez avec de la ciboulette et servez immédiatement.

TURBOT À L'ESTRAGON

4 tranches de turbot (175 g)
sel et poivre fraîchement moulu
jus de citron
estragon
30 cl de fumet de poisson (page 11)
15 cl de crème fraîche
1 carotte coupée en julienne
2 branches de céleri coupées en julienne
2 cuillères à café d'estragon frais haché
estragon pour décorer

Vous pouvez remplacer l'estragon par n'importe quelle herbe aromatique, par exemple par de l'aneth ou des feuilles de fenouil.

▷ Salez et poivrez le poisson. Mettez-le dans un plat creux avec le jus de citron et l'estragon. Laissez mariner pendant 2 heures en retournant le poisson de temps en temps. Mettez le fumet de poisson et la crème dans le compartiment inférieur de la cocotte. Portez à ébullition. Tapissez le fond du compartiment supérieur avec du papier sulfurisé.

Disposez le poisson et les légumes par-dessus. Versez le restant de marinade. Couvrez. Faites cuire à la vapeur pendant 7 minutes. Enlevez le turbot et les légumes, mettez de côté et tenez au chaud. Faites réduire le fumet de poisson en le faisant bouillir jusqu'à ce qu'il devienne crémeux. Incorporez l'estragon haché. Goûtez et rectifiez l'assaisonnement si nécessaire.

Versez la sauce dans quatre assiettes préalablement chauffées. Disposez le turbot et les légumes par-dessus. Décorez avec de l'estragon.

Servez immédiatement.

FILETS DE CARRELET FARCIS

Vous pouvez remplacer le carrelet par de la sole ou de la limande-sole.

- 4 carrelets, coupés en deux, sans peau
- 2 cuillères à soupe d'huile d'olive
- 1 cuillère à soupe de vinaigre de vin blanc
- 10 petites feuilles de basilic
- sel et poivre fraîchement moulu
- 350 g de courgettes, coupées fin
- 450 g de tomates bien mûres, pelées, épépinées et coupées fin
- 60 cl de court-bouillon
- 50 g de beurre fondu
- jus de 2 citrons
- basilic pour décorer

▷ Disposez les filets à plat dans un plat creux avec l'huile et le vinaigre. Hachez gros deux feuilles de basilic et répartissez-les sur le poisson. Salez, poivrez et laissez mariner pendant 2 heures.

Pendant ce temps, placez les courgettes dans une passoire et salez-les. Laissez dégorger 30 minutes. Rincez sous l'eau froide pour enlever tout le sel et essuyez les courgettes avec du papier absorbant. Mélangez un quart des tomates et des courgettes en rondelles dans une jatte et assaisonnez.

Retirez les filets de la marinade et essuyez-les délicatement. Mettez à l'extrémité de chaque filet une cuillère à café du mélange de tomates et de courgettes et une feuille de basilic. Assaisonnez. Roulez chaque filet et mettez-les côte à côte dans le compartiment supérieur de la cocotte. Portez à ébullition le court-bouillon. Couvrez le poisson et faites cuire à la vapeur 6-8 minutes.

Pendant ce temps, faites chauffer le restant de tomates et de courgettes dans une casserole, sans faire mijoter. Rectifiez l'assaisonnement si nécessaire. Répartissez le mélange dans quatre assiettes et disposez les carrelets farcis par-dessus. Arrosez avec un peu de beurre fondu et de jus de citron. Décorez avec le basilic. Servez aussitôt.

ASPERGES AU SAUMON

Utilisez de préférence des asperges fraîches pour ce plat savoureux.

- 225 g de concombres
- 100 g de saumon fumé
- 8 asperges blanches pelées
- 20 petites asperges vertes pelées
- sel et poivre fraîchement moulu
- jus de 1 citron
- 1 cuillère à soupe de moutarde
- 2 cuillères à soupe de sucre cristallisé
- 6 cuillères à soupe d'huile d'olive
- 2 cuillères à soupe de fromage frais ou de fromage blanc
- 1 cuillère à soupe d'aneth frais haché
- branches d'aneth pour décorer

▷ Coupez les concombres et le saumon en julienne. Salez et poivrez les asperges et arrosez-les de jus de citron. Faites-les cuire au-dessus d'une casserole d'eau bouillante pendant 3 minutes.

Pendant ce temps préparez la sauce. Mettez la moutarde, le sucre, l'huile, le fromage frais ou le fromage blanc, l'aneth, du sel et du poivre dans un pot fermant avec un couvercle à vis, secouez bien, goûtez et rectifiez l'assaisonnement si nécessaire.

Disposez les asperges dans quatre assiettes et répartissez les petits morceaux de concombres et de saumon. Décorez avec les branches de basilic. Servez avec la sauce à la moutarde.

SALADE DE CALMARS ET D'ASPERGES

700 g de calmars préparés
16 petites pointes d'asperges vertes
75 g de mange-tout épluchés
jus de 1 citron
sel et poivre fraîchement moulu
1 tête de trévise
Sauce
4 cuillères à soupe d'huile d'olive
3 cuillères à soupe de vinaigre
50 g de fromage frais ou de fromage blanc
1 cuillère à soupe d'herbe fraîches hachées fin, aneth, cerfeuil et persil
aneth et cerfeuil pour décorer

Les calmars, qu'ils soient frais ou congelés, sont généralement de bonne qualité. Essayez si possible d'acheter des calmars de petite taille qui cuisent en quelques minutes, et sont plus tendres et savoureux.

▷ Coupez les calmars en petits morceaux. Tapissez le fond du compartiment supérieur de la cocotte avec du papier sulfurisé humide. Disposez par-dessus les asperges, les mange-tout et les calmars. Arrosez avec le jus de citron, salez et poivrez. Couvrez et faites cuire sur une casserole d'eau bouillante pendant 3 minutes.

Pendant ce temps, mélangez tous les ingrédients de la sauce dans un pot fermant avec un couvercle à vis. Salez et poivrez. Disposez les feuilles de trévise sur le plat de service. Plongez les asperges, les mange-tout et les calmars dans la sauce et répartissez-les sur les feuilles de trévise. Décorez avec de l'aneth et du cerfeuil.

MOULES FANTAISIE

Cette recette est une variante amusante des fameuses moules marinières. Pour relever le goût de ce plat et en améliorer l'aspect, utilisez toutes les herbes dont vous disposez sauf la menthe qui est un peu trop forte. Choisissez des légumes de saison colorés, ou bien suivez ma recette.

2 kg de moules grattées
25 g de beurre
2 échalotes, hachées fin
3 gousses d'ail écrasées
1 bulbe de fenouil haché fin
15 cl de vin blanc
1 cuillère à soupe de feuilles de fenouil
1 cuillère à soupe de persil haché
1/2 cuillère à soupe de ciboulette hachée
1 carotte coupée en julienne
1 poireau coupé en julienne
1 panais épluché et coupé en julienne
sel et poivre fraîchement moulu
50 g de fromage frais
feuilles de fenouil

▷ Retirez les moules ouvertes ou qui ne se referment pas quand vous les lavez. Faites fondre le beurre dans un grand faitout. Faites revenir l'échalote, l'ail et le fenouil jusqu'à ce qu'ils soient cuits, mais sans roussir. Ajoutez le vin et laissez mijoter pendant 5 minutes. Mettez les moules dans le compartiment supérieur de la cocotte et versez dessus les herbes et les légumes coupés en julienne. Salez et poivrez. Couvrez. Faites cuire les moules à la vapeur pendant 3-5 minutes, en secouant le faitout de temps en temps.

Enlevez les moules qui ne sont pas ouvertes. Mettez les moules et les légumes dans le plat de service préalablement chauffé et tenez au chaud. Passez le mélange de fenouil et d'ail au mixeur, après avoir ajouté le fromage frais. Versez la sauce sur les moules et décorez avec le fenouil.

BROCHETTES DE COQUILLES SAINT-JACQUES

16 grosses coquilles Saint-Jacques préparées, fraîches de préférence
sel et poivre fraîchement moulu
jus de 2 citrons
2 cuillères à café d'estragon frais haché
6 cuillères à soupe d'huile d'olive
1 mangue pelée, dénoyautée et coupée en cubes
30 cl de vin blanc
4 branches d'estragon
2 feuilles de laurier
15 cl d'eau
rondelles de citron
estragon

Si vous voulez servir les brochettes en plat principal, doublez les quantités et servez-les sur un lit de riz au safran. Le riz peut cuire dans le faitout du dessous, pendant que les brochettes cuisent au-dessus.

▷ Coupez en quartiers la chair blanche des coquilles Saint-Jacques. Gardez le corail entier. Salez et poivrez les coquilles et faites-les mariner pendant 2 heures dans le jus de citron et l'estragon.

Préparez huit piques en bois et enfilez sur chacune d'elles huit morceaux de coquilles Saint-Jaques et deux coraux. Réservez la marinade pour la sauce. Mélangez l'huile, la marinade et la mangue dans un pot fermant avec un couvercle à vis, secouez et assaisonnez à votre convenance.

Mettez le vin, l'estragon, le laurier et l'eau dans le compartiment inférieur de la cocotte. Disposez les brochettes dans le compartiment supérieur, couvrez et faites cuire 3 minutes.

Disposez deux brochettes dans chacune des quatre assiettes, nappez avec la sauce au citron et à la mangue. Décorez avec l'estragon et servez immédiatement.

COQUILLES SAINT-JACQUES AUX POIVRONS

2 cuillères à soupe d'huile de sésame
jus de 1 citron
15 g de gingembre pelé et râpé
1 grosse gousse d'ail écrasée
sel et poivre fraîchement moulu
16 grosses coquilles Saint-Jacques fraîches

Assaisonnement

3 cuillères à soupe d'huile de sésame
1 cuillère à soupe de jus de citron
1 échalote hachée fin
1 cuillère à soupe de sauce au soja
100 g de beurre coupé en petit morceaux

Sauce aux poivrons

1 poivron rouge
1 poivron vert
1 poivron jaune
30 cl de fumet de poisson (page 11)
1 cuillère à soupe de graines de sésame

Ce plat est aussi agréable à regarder qu'à manger. Veillez à ne pas couper le corail pour qu'il ne se décompose pas pendant la cuisson. Veillez également à ne pas dépasser le temps de cuisson indiqué.

▷ Mélangez l'huile, le jus de citron, le gingembre et l'ail, salez et poivrez abondamment. Enlevez le corail des coquilles. Coupez la chair blanche en deux et faites-la mariner dans l'huile et le citron pendant 2 heures.

Pendant ce temps, préparez l'assaisonnement. Mettez tous les ingrédients dans un pot fermant avec un couvercle à vis et secouez.

Versez le fumet de poisson et le restant de la marinade dans le compartiment inférieur de la cocotte. Mettez les poivrons dans le compartiment supérieur avec les coquilles Saint-Jacques sur le dessus. Couvrez et faites cuire 3 minutes. Enlevez les coquilles Saint-Jacques, plongez-les dans l'assaisonnement et mettez au chaud. Incorporez les poivrons au fumet de poisson et portez à ébullition jusqu'à obtention d'un mélange sirupeux. A feu doux, incorporez le beurre morceau par morceau afin d'obtenir une sauce crémeuse. Goûtez et rectifiez l'assaisonnement si nécessaire.

Versez la sauce aux poivrons dans quatre assiettes, disposez les coquilles Saint-Jacques par-dessus et décorez avec les graines de sésame.

RAGOÛT DE CRUSTACÉS

Le terme de ragoût désigne un mets composé de morceaux de viande ou de poisson mijoté avec des légumes. J'ai choisi des crustacés ainsi que des légumes très colorés et très différents les uns des autres. Vous pouvez bien sûr utiliser d'autres crustacés et d'autres légumes, tout en suivant la recette de base.

12 scampi ou 12 gambas, de préférence vivantes ou bien congelées
30 cl de fumet de poisson bien fort (page 11)
12 petites carottes nouvelles
8 radis épluchés
75 g de mange-tout épluchés
4 grandes coquilles Saint-Jacques préparées, fraîches de préférence
350 g de moules grattées
225 g de palourdes fraîches, grattées
jus de 1 citron
2 branches d'aneth
sel et poivre fraîchement moulu
1/2 botte de cresson
75 g de fromage frais
Pour décorer
aneth
cresson

▷ Si les scampi ou les gambas sont crues, faites-les cuire à la vapeur pendant 5 minutes au-dessus du fumet de poisson et laissez-les refroidir doucement.

Épluchez les scampi, coupez les carapaces en gros morceaux et mélangez-les avec le fumet de poisson (mettez de côté les queues). Faites mijoter 10 minutes, puis enlevez les carapaces.

Mettez les carottes, les radis et les mange-tout dans le compartiment supérieur de la cocotte, couvrez et faites cuire à la vapeur au-dessus du fumet de poisson 3 minutes. Pendant ce temps, coupez en deux les scampi et les coquilles Saint-Jacques, en veillant à ne pas couper le corail. Mettez tous les crustacés dans le compartiment supérieur avec les légumes. Ajoutez le jus de citron et l'aneth, salez et poivrez. Faites cuire pendant 3-5 minutes. Réservez et tenez au chaud.

Faites réduire le fumet de poisson de moitié en le faisant bouillir rapidement. Ajoutez le cresson et le fromage frais, et passez le mélange au mixeur.

Disposez les crustacés sur un lit de sauce, décorez avec l'aneth et le cresson, et servez immédiatement.

SALADE DE HOMARD

2 homards femelles vivants (450 g)
25 g de beurre
550 g de carottes râpées
2 échalotes hachées fin
30 cl de bouillon de légumes
2-3 branches d'aneth
2-3 branches de thym
1 cuillère à soupe de ciboulette hachée
sel et poivre fraîchement moulu
1 cuillère à soupe de vinaigre de vin rouge
3 cuillères à soupe d'huile d'olive
jus de 1 citron
1 endive, les feuilles séparées
1 petite chicorée frisée
1 cœur de laitue
2 avocats

▷ Portez à ébullition une grande casserole d'eau, puis laissez-la refroidir ; ce procédé élimine l'oxygène dissous dans l'eau et permet d'anesthésier les homards avant de les faire cuire.

Portez à ébullition une seconde casserole d'eau. Plongez les homards vivants dans l'eau froide pendant 3 minutes, puis mettez-les directement dans le compartiment supérieur de la cocotte et faites-les cuire à la vapeur au-dessus de l'eau bouillante pendant 15 minutes. Retirez les homards.

Faites fondre le beurre dans une casserole et faites revenir les carottes et les échalotes jusqu'à ce qu'elles soient molles. Ajoutez le bouillon et les herbes, salez et poivrez. Faites mijoter pendant 10-15 minutes. Passez la sauce au mixeur et ajoutez le vinaigre. Lorsque les homards ont refroidi, enlevez les queues et découpez la carapace avec des ciseaux. Ouvrez délicatement la carapace et ôtez en une fois la chair se trouvant dans la queue. Enlevez les pinces et ouvrez-les délicatement, retirez la chair et mettez de côté le cartilage. Coupez la chair se trouvant dans la queue en petits médaillons et coupez les pinces en deux.

Mélangez l'huile avec 2 cuillères à soupe de jus de citron. Salez et poivrez abondamment. Plongez l'endive, la chicorée frisée et la laitue dans l'assaisonnement.

Épluchez et coupez les avocats en rondelles et arrosez-les de jus de citron. Versez le coulis de carottes dans quatre assiettes. Disposez les feuilles de salade, les homards et les avocats par-dessus. Servez immédiatement ou mettez au réfrigérateur.

MOUSSE DE MILLIONNAIRE

450 g de filets de sole, sans peau et hachés gros
450 g de filets de turbot, sans peau et hachés gros
3 blancs d'œufs
sel et poivre fraîchement moulu
30 cl de crème fraîche
1 queue de homard cuite, épluchée et coupée en cubes, ou 75 g de crevettes ou de scampi, cuits et décortiqués
jus de 1/2 citron
15 g de gingembre frais, épluché et râpé
3 poivrons rouges grillés et épluchés
15 cl de fumet de poisson bien fort (page 11)

Pour décorer

1 poivron rouge haché fin
coriandre

À coup sûr vos invités seront impressionnés par la combinaison raffinée des différents ingrédients de cette recette. Vous pouvez remplacer le homard par des scampi ou des crevettes.

Vous aurez besoin d'un mixeur pour faire cette recette.

▷ Huilez légèrement un moule à savarin de 1 l, puis mettez-le à égoutter à l'envers sur du papier absorbant. Passez le poisson au mixeur jusqu'à obtention d'un mélange onctueux. Incorporez les blancs d'œufs et mélangez à nouveau jusqu'à obtention d'un mélange parfaitement onctueux. Salez et poivrez abondamment. Pendant que l'appareil continue à tourner, incorporez la crème. Ne faites pas marcher l'appareil plus de 20 secondes. Versez le mélange dans le moule. Mettez au réfrigérateur pendant 30 minutes.

Faites mariner le homard et les crevettes, ou les scampi, dans le jus de citron et le gingembre. Mettez au réfrigérateur. Mettez les poivrons et le fumet de poisson dans le compartiment inférieur de la cocotte. Couvrez le moule avec du papier sulfurisé et mettez-le dans le compartiment supérieur, couvrez et faites cuire au-dessus des poivrons et du fumet de poisson pendant 15 minutes. Retirez le moule de la cocotte et tenez au chaud. Mélangez les poivrons et le fumet de poisson dans le mixeur jusqu'à obtention d'un mélange onctueux. Passez le mélange deux fois de suite.

Versez la sauce aux poivrons dans le plat de service préalablement chauffé. Faites chauffer le homard dans une casserole. Démoulez le poisson et remplissez le trou central avec le homard au gingembre. Décorez avec le poivron rouge haché et les feuilles de coriandre. Servez immédiatement.

MOUSSE DE HADDOCK

25 g de beurre fondu
225 g d'épinards
1 kg de filets de haddock, sans peau ni arêtes
4 blancs d'œufs
75 g de gruyère râpé
sel et poivre fraîchement moulu
1 pincée de poivre de Cayenne
1 pincée de muscade
30 cl de crème fraîche
toasts pour servir

Servie avec de petits légumes cuits à la vapeur, cette mousse de haddock enrobée de feuilles d'épinards constitue un plat principal fort savoureux, mais peut également être servie en entrée. Vous pouvez remplacer le haddock par un autre poisson fumé de couleur rose et la laitue par des épinards.

▷ Beurrez quatre ramequins avec le beurre fondu, puis faites-les égoutter à l'envers sur du papier absorbant. Lavez les épinards, épluchez-les et faites-les cuire à la vapeur 15 secondes. Tapissez l'intérieur des ramequins avec les feuilles d'épinards en les rabattant sur les bords.

Passez le poisson au mixeur, incorporez les blancs d'œufs et le fromage râpé. Mélangez jusqu'à l'obtention d'un mélange onctueux, salez, poivrez et ajoutez le poivre de Cayenne et la muscade. Incorporez la crème pendant que l'appareil tourne. Ne le faites pas tourner plus de 20 secondes.

Répartissez le mélange dans les quatre ramequins. Rabattez les feuilles d'épinards sur la mousse. Couvrez les ramequins avec du papier aluminium. Remplissez à moitié d'eau le compartiment inférieur de la cocotte, portez à ébullition et mettez les ramequins dans le compartiment supérieur. Couvrez et faites cuire pendant 20 minutes.

Démoulez les ramequins sur quatre assiettes, et servez chaud ou froid avec des toasts.

VOLAILLE ET GIBIER

Aujourd'hui on mange plus régulièrement de la volaille que de la viande. Non seulement elle constitue une source importante de protéines, de vitamines et de minéraux, mais elle est également facile à digérer. La différence de couleur entre la volaille à chair blanche, telle que le poulet et la dinde, et la volaille à chair rouge, telle que le gibier, le canard et l'oie, n'affecte en rien la qualité des éléments nutritifs. La plupart des graisses saturées des oiseaux domestiques se trouvent dans ou autour de la peau, laquelle n'a pas besoin d'être mangée. Le gibier est généralement moins gras que les oiseaux domestiques et a tendance à se dessécher pendant la cuisson. Ce problème peut être résolu grâce à la cuisson à la vapeur qui ne dessèche ni la volaille, ni le gibier et leur permet de garder toute leur saveur. Le poulet est la volaille la plus populaire ; sa chair est savoureuse, il peut être accommodé de multiples manières et, de plus, est bon marché. Lorsque vous achetez de la volaille ou du gibier, veillez à ce que le bréchet soit souple et que la poitrine soit dodue.

Poulet au roquefort (page 24)

POULET AU ROQUEFORT

4 blancs de poulet
sel et poivre fraîchement moulu
feuilles de thym
2 cuillères à soupe de ciboulette hachée
jus de 1 citron
2 gousses d'ail écrasées
100 g de foies de volaille
4 noisettes de beurre
Sauce au roquefort
175 g de roquefort, sans la croûte
30 cl de fromage frais
15 cl de crème fraîche
1 1/2 cuillère à café de vinaigre de vin rouge
1/2 poivron jaune haché
1/2 poivron rouge haché
sel et poivre fraîchement moulu
ciboulette
coriandre

Lorsqu'il fait chaud, on a plutôt envie de quelque chose de frais et de léger. Servi avec des salades variées, ce plat original convient parfaitement pour un pique-nique.

▷ Placez chaque blanc de poulet entre deux morceaux de papier sulfurisé. Aplatissez-les avec un rouleau à pâtisserie. Salez et poivrez. Étalez sur chaque blanc les feuilles de thym, la ciboulette, le jus de citron et l'ail, ainsi que 25 g de foie, en laissant libre une bande d'environ 1,5 cm tout autour du blanc. Roulez les blancs en ajoutant une pointe de beurre à chaque extrémité, puis enveloppez chaque blanc dans du papier aluminium. Faites cuire à la vapeur au-dessus de l'eau bouillonnante pendant 40 minutes. Laissez refroidir complètement.

Pour la sauce, passez au mixeur le roquefort, le fromage frais, la crème et le vinaigre. Incorporez la moitié des poivrons hachés, salez et poivrez. Enlevez les blancs du papier aluminium ; s'il y a du jus versez-le dans la sauce et mélangez.

Versez la sauce dans quatre assiettes. Coupez en rondelles les rouleaux de poulet et disposez-les sur la sauce. Ajoutez le restant de poivrons et décorez avec la ciboulette et la coriandre.

POULET À L'AIL

1 poulet prêt à cuire (1,700 kg) avec les abattis
1 petit oignon haché gros
1 cuillère à café d'huile d'olive
2 feuilles de laurier
6 grains de poivre
30 cl de vin blanc sec
60 cl d'eau
1 cuillère à soupe de julienne de légumes
zeste et jus de 1 citron
estragon et cerfeuil
sel et poivre fraîchement moulu
20 gousses d'ail non épluchées
8 petites carottes
4 petits panais pelés
8 petits poireaux lavés
2 cuillères à soupe d'herbes fraîches hachées, estragon, cerfeuil et persil, pour décorer

Il n'y a pas d'erreur d'impression, c'est bien vingt gousses d'ail que vous devez utiliser ! Une fois cuit, l'ail a une saveur subtile ; réduit en purée, il sert à épaissir les sauces sans adjonction de matières grasses. Si un poulet de 1,700 kg ne tient pas dans votre cocotte à vapeur, achetez deux coquelets, divisez les quantités indiquées par deux et faites cuire dans deux cocottes.

▷ Faites dorer les abattis et l'oignon dans l'huile. Ajoutez les feuilles de laurier, les grains de poivre, le vin, l'eau et la julienne de légumes. Portez à ébullition et laissez mijoter pendant 20 minutes, de manière à obtenir du bouillon. Pendant ce temps, essuyez le poulet, arrosez-le avec le jus de citron et répartissez à l'intérieur et à l'extérieur le zeste de citron et les herbes. Salez et poivrez abondamment.

Passez le bouillon dans le compartiment inférieur de la cocotte. Portez à ébullition. Posez le poulet sur les gousses d'ail dans le compartiment supérieur de la cocotte. Couvrez et faites cuire à la vapeur pendant 45 minutes. *Vérifiez régulièrement le niveau de liquide et ajoutez du bouillon ou de l'eau bouillante si nécessaire.*

Salez et poivrez les légumes et mettez-les dans la cocotte avec le poulet, couvrez et laissez cuire encore 15 minutes.

Écrasez les gousses d'ail, mettez-les dans le bouillon. Enlevez les pelures, mélangez bien, goûtez et rectifiez l'assaisonnement si nécessaire. Si le bouillon a déjà une consistance crémeuse, versez-le sur le poulet. Sinon, faites-le réduire en le faisant bouillir jusqu'à ce qu'il ait la consistance voulue. Décorez le poulet avec les herbes et servez immédiatement.

SUPRÊME DE POULET

Normalement, on utilise pour cette recette ce qu'il y a de meilleur dans un poulet, c'est-à-dire le blanc. Mais vous pouvez utiliser n'importe quelle autre partie sans os.

4 blancs de poulet sans peau ni os, sauf l'os des ailes, nettoyé
sel et poivre fraîchement moulu
4 cuillères à soupe d'huile de noix
jus de 1 citron
50 g de noix hachées fin
estragon
3 oignons rouges ou 3 petits oignons blancs
1 tête de laitue
1 tête de chicorée

Sauce

4 cuillères à soupe d'huile de noix
2 cuillères à soupe de vinaigre à l'estragon
1 cuillère à café de moutarde
1 cuillère à café de noix hachées
sel et poivre fraîchement moulu
noix hachées
estragon

▷ Salez et poivrez les blancs de poulet. Disposez-les dans un plat creux avec l'huile, le jus de citron, l'estragon, les noix et les oignons. Laissez mariner pendant 2 heures.

Découpez quatre carrés de papier aluminium de 35 cm de côté. Mettez un blanc dans chaque feuille et arrosez-le avec la marinade. Repliez l'extrémité des feuilles, de manière à bien fermer les papillotes. Faites cuire à la vapeur au-dessus de l'eau bouillante pendant 15 minutes.

Pendant ce temps, lavez et épluchez la laitue et la chicorée ; mélangez les ingrédients de la sauce dans un pot fermant avec un couvercle à vis et disposez les feuilles de salade dans quatre assiettes. Versez le contenu des papillotes dans chaque assiette et arrosez avec la sauce. Décorez avec les noix hachées et l'estragon.

RAGOÛT DE POULET

Rien de mieux pour se réchauffer en hiver. Utilisez tous les légumes que vous pourrez trouver.

2 cuillères à soupe d'huile d'olive
1 poulet (1,750 kg), coupé en 8 morceaux
sel et poivre fraîchement moulu
jus de 1 citron
225 g de topinambours coupés en deux
225 g de choux de Bruxelles
225 g de carottes, en dés
225 g de rutabagas coupés en dés
100 g de petits navets coupés en quartiers
100 g de panais coupés en dés
30 cl de bouillon de poule
30 cl de vin rouge
5 cl de porto
thym, persil et estragon
branches de persil, de thym ou d'estragon pour décorer

▷ Faites chauffer l'huile dans une poêle à fond épais. Salez et poivrez le poulet et arrosez-le de jus de citron. Faites dorer les morceaux de poulet de chaque côté. Mettez-les dans un récipient résistant à la chaleur et pouvant entrer dans votre cocotte.

Faites dorer les légumes pendant 2 minutes et mettez-les sur le poulet. Versez le bouillon, le vin et le porto dans la poêle. Portez à ébullition. Versez le mélange sur les morceaux de poulet. Ajoutez les herbes. Salez et poivrez.

Couvrez le récipient avec du papier aluminium maintenu en place avec un morceau de ficelle.

Mettez-le dans une grand faitout rempli d'eau bouillante et couvert ou bien dans la cocotte et faites cuire pendant 1 1/2 h. *Vérifiez régulièrement le niveau de liquide et ajoutez si nécessaire de l'eau bouillante.*

Enlevez le papier aluminium. Versez le jus du poulet dans une petite casserole. Disposez le poulet et les légumes dans le plat de service préalablement chauffé et tenez au chaud. Faites bouillir le bouillon jusqu'à obtention d'un mélange sirupeux. Versez-le sur le poulet et décorez avec les herbes.

POUSSINS AU CITRON

4 poussins
zeste et jus de 1 citron
15 cl de vin blanc sec
thym, marjolaine et origan pour la marinade
sel et poivre fraîchement moulu
2 cuillères à soupe d'huile d'olive
1/2 chou rouge coupé en julienne
1/2 chou blanc coupé en julienne
4 cuillères à soupe de thym, de marjolaine et d'origan frais hachés
15 cl de crème fraîche
60 cl de bouillon de poule
branche de citronnelle
herbes fraîches hachées

▷ Mettez les poussins dans un plat avec le zeste et le jus de citron, le vin blanc et les herbes. Salez et poivrez abondamment. Laissez mariner pendant 2 heures. Retirez les poussins de la marinade et essuyez-les. Faites chauffer l'huile dans une poêle à fond épais et faites dorer les poussins à feu vif de chaque côté.

Étalez le chou rouge et le chou blanc au fond de la cocotte et disposez les poussins par-dessus. Salez et poivrez abondamment et garnissez d'herbes fraîches hachées. Versez le restant de marinade dans le compartiment inférieur de la cocotte avec la crème, le bouillon de poule et la citronnelle. Couvrez et faites cuire les poussins au-dessus du bouillon pendant 40-45 minutes. *Vérifiez régulièrement le niveau du liquide et ajoutez du bouillon ou de l'eau bouillante si nécessaire.*

Disposez chaque poussin sur un lit de chou et tenez au chaud. Enlevez la citronnelle et faites réduire le bouillon jusqu'à obtention d'un mélange onctueux. Nappez les poussins avec la sauce et décorez avec les herbes.

Servez immédiatement.

POULET ENROBÉ DE LAITUE

60 cl de bouillon de poule
30 cl de cidre sec
8 grandes feuilles de romaine
50 g de beurre ramolli
2 gousses d'ail écrasées
4 blancs de poulet sans peau
sel et poivre fraîchement moulu
2 grosses carottes en bâtonnets
2 branches de céleri, en bâtonnets
50 g de jambon fumé coupé en lanières
jus de 1 citron
100 g de beurre, en petits morceaux
fenouil

Le poulet est délicieux cuit à la vapeur, et il reste bien juteux.

▷ Faites bouillir le bouillon et le cidre dans le compartiment inférieur de la cocotte. Mettez les feuilles de romaine dans le compartiment supérieur et faites-les cuire au-dessus du bouillon et du cidre pendant 20 secondes ou jusqu'à ce qu'elles soient juste molles. Faites-les sécher sur du papier absorbant.

Avec un couteau, étalez le beurre et l'ail sur les blancs de poulet, salez et poivrez les blancs de chaque côté. Disposez les feuilles de romaine à plat par deux en les faisant se chevaucher légèrement. Placez les blancs de poulet à l'extrémité des feuilles, du côté de la queue. Étalez les trois quarts des légumes et la totalité du jambon sur les quatre blancs.

Faites blanchir le restant de légumes, égouttez-les et réservez-les pour la garniture. Arrosez les blancs de poulet avec le jus de citron, repliez les feuilles de romaine sur le mélange et mettez-les dans le compartiment supérieur de la cocotte, le côté où se trouve le poulet en bas. Couvrez et faites cuire pendant 20 minutes. *Vérifiez le niveau du liquide et ajoutez du cidre bouillant si nécessaire.*

Une fois cuit, retirez le poulet et mettez-le au chaud. Faites réduire le bouillon en le portant à ébullition jusqu'à ce qu'il devienne sirupeux. À feu doux, incorporez le beurre morceau par morceau jusqu'à obtention d'une sauce onctueuse. Rectifiez l'assaisonnement si nécessaire.

Versez la sauce au cidre dans quatre assiettes et disposez les morceaux de poulet par-dessus. Garnissez du restant de légumes et du fenouil.

POUSSINS AUX PIMENTS

2 cuillères à soupe d'huile de noix (ou d'huile d'olive)
4 poussins (350 g)
sel et poivre fraîchement moulu
jus de 1 citron
2 bottes de ciboules épluchées et hachées fin
2 petits piments verts épépinés et hachés fin
poivre de Cayenne
30 cl de bouillon de poule
1 grosse botte de cresson lavé, sans les grosses tiges
50 g de fromage frais
cresson pour décorer

Si vous craignez que les piments ne soient trop forts, divisez la quantité indiquée par deux.

▷ Faites chauffer l'huile dans une poêle à fond épais. Salez et poivrez les poussins et arrosez-les de jus de citron. Faites-les dorer à feu vif de chaque côté. Mettez de côté. Faites revenir les ciboules et les piments dans la même poêle avec le poivre de Cayenne et un peu de sel pendant 3 minutes. Tapissez le fond du compartiment supérieur de la cocotte avec du papier sulfurisé humide. Étalez dessus le mélange à base de ciboules et posez les poussins par-dessus.

Versez le bouillon de poule dans la poêle. Portez à ébullition. Versez le bouillon dans le compartiment inférieur de la cocotte. Couvrez les poussins et faites cuire à la vapeur au-dessus du bouillon pendant 20 minutes. Ajoutez les trois quarts du cresson et faites cuire encore 10 minutes. *Vérifiez régulièrement le niveau du liquide et ajoutez du bouillon ou de l'eau bouillante, si nécessaire.*

Réservez les poussins et tenez au chaud. Incorporez au bouillon le mélange de ciboules et de piments et le reste de cresson. Passez au mixeur jusqu'à obtention d'un mélange onctueux. Ajoutez le fromage frais. Goûtez et rectifiez l'assaisonnement si nécessaire.

Répartissez la sauce au cresson dans quatre assiettes. Disposez les poussins par-dessus et décorez avec le cresson.

FRICASSÉE DE DINDE SUR CHEVEUX D'ANGE

1 kg de morceaux de dinde sans peau
1 cuillère à soupe d'huile d'olive
2 gousses d'ail écrasées
2 poireaux coupés fin
225 g de champignons sans pieds
1 boîte de tomates (400 g) dans leur jus, coupées en morceaux
5 cl de vinaigre de vin rouge
5 cl de vin rouge
2 cuillères à soupe de basilic frais haché
sel et poivre fraîchement moulu
450 g de cheveux d'ange (page 96)
1 cuillère à soupe d'huile d'olive
feuilles de basilic

▷ Coupez la dinde en petits morceaux. Faites chauffer l'huile dans une poêle et faites dorer les morceaux de dinde de chaque côté. Mettez les morceaux de dinde dans un moule à gâteau. Faites revenir doucement l'ail et les poireaux dans la même poêle sans les faire dorer. Ajoutez les champignons, les tomates, le vinaigre, le vin et une cuillère à soupe de basilic. Salez et poivrez abondamment. Portez à ébullition et versez la sauce sur les morceaux de dinde. Couvrez avec du papier aluminium et mettez le moule dans la cocotte ou dans un faitout rempli à mi-hauteur d'eau bouillante. Couvrez et faites cuire à la vapeur pendant 20 minutes.

Pour les cheveux d'ange, reportez-vous à la recette indiquée page 96. Deux minutes avant de servir la fricassée de dinde, mettez les pâtes et l'huile dans l'eau bouillante. Veillez à ne pas dépasser le temps de cuisson.

Égouttez les pâtes, salez, poivrez et ajoutez le restant de basilic. Répartissez les pâtes dans quatre assiettes préalablement chauffées. Disposez les morceaux de dinde par-dessus et nappez de sauce. Décorez avec les feuilles de basilic. Servez immédiatement.

BROCHETTES DE DINDE AUX OIGNONS

La combinaison de la dinde marinée à la chinoise et de cette sauce à l'oignon est un vrai régal. La préparation et la cuisson nécessitent par ailleurs peu de temps.

1 dinde désossée de 1 kg, coupée en petits morceaux
4 oignons rouges coupés en quatre
2 cuillères à soupe de sauce au soja
2 cuillères à soupe de vin blanc sec
15 g de gingembre frais haché
2 gousses d'ail écrasées
50 cl de bouillon de poule
700 g d'oignons rouges ou blancs coupés fin
sel et poivre fraîchement moulu
2 cuillères à soupe de vinaigre de vin rouge
2 cuillères à soupe de miel liquide
1/4 de poivron jaune épépiné et haché fin
1/4 de poivron vert épépiné et haché fin
feuilles de coriandre

▷ Enfilez les morceaux de dinde et d'oignons rouges sur quatre brochettes. Disposez-les dans un plat creux avec la sauce au soja, le vin blanc sec, le gingembre et l'ail. Laissez mariner 2 heures en retournant les brochettes de temps en temps. Versez la marinade et le bouillon dans le compartiment inférieur de la cocotte. Incorporez les oignons et portez à ébullition. Disposez une feuille de papier sulfurisé humide au fond du compartiment supérieur. Mettez les brochettes dessus. Salez et poivrez. Couvrez et faites cuire à la vapeur au-dessus du bouillon pendant 15-20 minutes. *Vérifiez régulièrement le niveau du liquide et ajoutez du bouillon ou de l'eau bouillante si nécessaire.*

Enlevez les brochettes et mettez-les au chaud. Incorporez au mélange à base d'oignons, le vinaigre et le miel. Faites réduire le mélange en le faisant bouillir jusqu'à obtention d'un mélange sirupeux.

Disposez les brochettes sur les assiettes préalablement chauffées. Nappez-les de sauce et décorez avec les poivrons hachés et les feuilles de coriandre.

MAGRETS DE CANARD AU GINGEMBRE

3 oranges
4 magrets de canard, sans peau
15 g de gingembre épluché et haché fin
2 cuillères à soupe de vin blanc sec
1 cuillère à soupe de vinaigre de vin rouge
sel et poivre fraîchement moulu
50 cl de bouillon de poule ou de canard
100 g de beurre coupé en petits morceaux

Pour décorer

zeste de 1 orange coupé en fines lamelles
persil à feuilles plates

▷ Épluchez une orange et coupez le zeste en fines lamelles, faites-les blanchir pendant 20 secondes et réservez. Mettez les magrets de canard dans un plat avec le jus de deux oranges, le gingembre, le vin blanc sec, le vinaigre et la moitié des lamelles. Salez et poivrez. Laissez mariner pendant 2 heures.

Épluchez la dernière orange, enlevez la peau blanche et coupez l'orange en petits morceaux en recueillant le jus. Faites bouillir dans le compartiment inférieur de la cocotte le bouillon et la marinade, ainsi que les petits morceaux d'orange et le jus d'orange.

Mettez une feuille de papier sulfurisé humide au fond du compartiment inférieur de la cocotte et disposez les blancs de canard par-dessus. Couvrez et faites cuire au-dessus du bouillon pendant 20 minutes. *Vérifiez régulièrement le niveau du liquide et ajoutez du bouillon ou de l'eau bouillante si nécessaire.* Enlevez les magrets de canard et tenez au chaud.

Passez le bouillon au mixeur, puis filtrez-le. Faites-le réduire en le faisant bouillir rapidement jusqu'à ce qu'il devienne sirupeux. À feu doux, incorporez le beurre morceau par morceau jusqu'à obtention d'une sauce crémeuse.

Disposez les magrets de canard sur les assiettes préalablement chauffées et nappez-les avec la sauce. Décorez avec le zeste coupé en lamelles et le persil.

FOIES DE CANARDS SAUVAGES À LA VAPEUR

450 g de foies de canards sauvages (sinon d'élevage)
5 cl de lait
30 cl de bouillon de canard ou de poule
3 ciboules émincées
1 carotte coupée en dés
sel et poivre fraîchement moulu
1 cuillère à soupe de miel
2 cuillères à café de vinaigre de vin rouge
1 petite trévise
1 botte de cresson
Pour décorer
50 g de jambon fumé en lamelles
ciboules hachées fin

▷ Faites tremper les foies dans le lait pendant 30 minutes. Rincez les foies et séchez-les. Faites bouillir le bouillon dans le compartiment inférieur de la cocotte. Tapissez le fond du compartiment inférieur avec du papier sulfurisé humide. Disposez dessus les foies, les ciboules et la carotte. Salez et poivrez abondamment.

Faites cuire à la vapeur au-dessus du bouillon pendant 5 minutes. Enlevez les foies et les légumes, mettez de côté et tenez au chaud. Mélangez le miel et le vinaigre avec le bouillon. Faites bouillir jusqu'à obtention d'un mélange sirupeux.

Arrangez les feuilles de trévise et le cresson dans les quatre assiettes et disposez par-dessus les foies et les légumes. Nappez de sauce. Décorez avec les lamelles de jambon et les ciboules hachées. Servez immédiatement.

CANARD SAUVAGE AUX POMMES

4 pommes Granny Smith, épluchées et évidées
jus de 1 citron
1 cuillère à soupe de grains de poivre noir
60 cl de vin rouge
2 cuillères à soupe de calvados
2 échalotes hachées fin
4 magrets de canard sauvage, essuyés
sel
1 cuillère à soupe d'huile d'olive
15 cl de bouillon de poule ou de gibier
5 dl de crème fraîche
herbes fraîches pour décorer, cerfeuil, persil, fenouil

Arrosez les pommes de jus de citron. Écrasez les grains de poivre dans une petite serviette avec un rouleau à pâtisserie ou un maillet. Mettez les pommes, les grains de poivre, le vin, le calvados, les échalotes et les magrets de canard dans un plat creux. Laissez mariner pendant 2 heures, en retournant les magrets de temps en temps.

Enlevez les magrets et les pommes de la marinade et réservez le liquide. Faites sécher le canard sur du papier absorbant et salez légèrement. Faites chauffer l'huile dans une poêle à fond épais et faites dorer les morceaux de canard de chaque côté. Disposez les pommes dans la cocotte. Portez à ébullition le restant de marinade, le bouillon et la crème. Faites cuire à la vapeur les morceaux de canard au-dessus du bouillon pendant 10-12 minutes. Coupez les pommes en rondelles. Disposez les pommes et les morceaux de canard sur le plat de service préalablement chauffé et tenez au chaud. Faites réduire le bouillon en le faisant bouillir jusqu'à ce qu'il devienne sirupeux. Goûtez et rectifiez l'assaisonnement si nécessaire. Nappez le canard de sauce et décorez avec les herbes fraîches.

FAISAN AUX FIGUES

8 grosses figues fraîches
30 cl de porto rouge
2 faisans prêts à cuire
1 cuillère à soupe d'huile d'olive
4 échalottes hachées fin
1 branche de céleri hachée fin
1 carotte hachée fin
60 cl de bouillon de poule ou de gibier
1 cuillère à café de thym haché fin
100 g de langue coupée en lamelles
sel et poivre fraîchement moulu
100 g de beurre coupé en petits morceaux
feuilles de figues fraîches ou feuilles de laurier
thym pour décorer

Si vous ne trouvez pas de figues fraîches, utilisez des figues sèches trempées dans du porto.

▷ Faites mariner les figues entières dans le porto pendant 24 heures. Si vous n'avez pas le temps, faites-les mijoter dans une poêle pendant 10 minutes.

Coupez les faisans en deux. Faites chauffer l'huile dans une poêle à fond épais et faites dorer les moitiés de faisans de chaque côté. Mettez de côté. Faites revenir les légumes dans la même poêle jusqu'à ce qu'ils soient bien dorés.

Égouttez les figues, et versez le porto et le bouillon dans une casserole.

Placez une feuille de papier sulfurisé au fond du compartiment supérieur de la cocotte et disposez dessus les faisans, les légumes et les figues. Garnissez de thym et des morceaux de langue. Salez et poivrez abondamment. Couvrez et faites cuire à la vapeur au-dessus du porto et du bouillon pendant 35 minutes. *Vérifiez régulièrement le niveau du liquide et ajoutez de l'eau bouillante si nécessaire.*

Disposez les aliments sur des feuilles de figues fraîches et tenez au chaud. Faites réduire le bouillon en le faisant bouillir rapidement jusqu'à ce qu'il devienne sirupeux et incorporez le beurre morceau par morceau jusqu'à obtention d'une sauce crémeuse. Nappez les faisans de sauce, décorez avec le thym et servez.

FAISAN AUX CHAMPIGNONS DE CUEILLETTE

4 blancs de faisan
sel et poivre fraîchement moulu
2 cuillères à soupe de confiture de cerises
3 cuillères à soupe de vin rouge
2 cuillères à soupe de cognac
2 cuillères à soupe de madère ou de vin blanc sec
une pincée de cannelle
une pincée de clous de girofle en poudre
50 cl de bouillon de poule ou de faisan
1 kg de champignons sauvages, lavés et hachés gros
1 gousse d'ail écrasée
Pour décorer
cerises entières
champignons coupés en lamelles
persil à feuilles plates

Si vous ne trouvez pas de champignons de cueillette, utilisez des champignons de Paris. Vous pouvez remplacer la confiture par des cerises noires dénoyautées.

▷ Salez et poivrez les morceaux de faisan. Disposez-les dans un plat creux avec la confiture, le vin, le cognac, le madère, la cannelle et les clous de girofle. Laissez mariner pendant 2 heures.

Enlevez les morceaux de faisan et faites bouillir dans le compartiment inférieur de la cocotte le bouillon et la marinade. Étalez les champignons dans le compartiment supérieur, ajoutez l'ail, salez et poivrez. Disposez les morceaux de faisan par-dessus. Couvrez et faites cuire à la vapeur au-dessus du bouillon pendant 20 minutes. *Vérifiez régulièrement le niveau du liquide et ajoutez du bouillon ou de l'eau bouillante si nécessaire.*

Répartissez les champignons dans quatre assiettes préalablement chauffées en faisant un nid ; disposez les morceaux de faisan par-dessus. Si le bouillon a une consistance crémeuse, versez-le sur les morceaux de faisan. S'il est trop liquide, faites-le réduire en le faisant bouillir. Décorez avec les cerises, les champignons et le persil.

FAISAN
À LA CHOUCROUTE

La choucroute est préparée avec du chou blanc, finement émincé, salé et fermenté. À l'origine, c'était le moyen de conserver pendant tout l'hiver du chou blanc, très riche en vitamines et en sels minéraux. La saveur acide de la choucroute s'allie parfaitement bien avec le goût particulier du faisan.

2 faisans prêts à cuire
1/2 carotte coupée gros
1 branche de céleri hachée
1 échalote hachée gros
50 cl de vin rouge
50 cl de bouillon de poule ou d'eau
zeste et jus de 1 orange
100 g de gelée de groseilles
15 cl de porto rouge
1 cuillère à café de moutarde
sel et poivre fraîchement moulu
225 g de choucroute cuite
1 cuillère à soupe d'huile d'olive
Pour décorer
groseilles fraîches
persil haché

▷ Rincez et séchez les faisans. Enlevez les blancs et les pattes. Coupez les carcasses en gros morceaux et mettez-les dans un faitout avec la carotte, le céleri et l'échalote. Versez le vin rouge et le bouillon ou l'eau. Portez à ébullition et laissez mijoter pendant 2 heures. Épluchez l'orange et coupez l'écorce en fines lamelles.

Faites-les blanchir pendant 20 secondes et mettez de côté. Passez le bouillon dans le compartiment inférieur de la cocotte, ajoutez le jus d'orange, la gelée de groseilles, le porto et la moutarde. Portez à ébullition en écumant. Incorporez l'écorce d'orange coupée en lamelles. Salez et poivrez abondamment.

Mettez la choucroute au fond du compartiment supérieur de la cocotte. Faites chauffer l'huile dans une poêle à fond épais et faites dorer à feu vif les morceaux de faisan. Salez et poivrez. Disposez les morceaux de faisan sur la choucroute. Couvrez et faites cuire au-dessus du bouillon pendant 20 minutes.

Retirez le faisan et la choucroute de la cocotte et tenez au chaud. Faites réduire la sauce en la faisant bouillir rapidement jusqu'à obtention d'un mélange sirupeux. Faites un lit de choucroute dans chaque assiette et disposez les morceaux de faisan par-dessus. Nappez de sauce et décorez avec les groseilles fraîches et le persil haché.

CONSEILS

▷ Il y a quelques règles que vous devez connaître si vous suivez un régime : évitez de manger trop de matières grasses, de sucre et de sel. Mangez des aliments frais et riches en fibres.

La volaille et le gibier peuvent figurer dans vos menus, car ils apportent beaucoup de protéines et peu de matières grasses. La graisse de canard peut être enlevée pendant la cuisson et la peau du poulet ôtée avant de servir.

On trouve dans le commerce des oiseaux frais, élevés naturellement et sans additifs ; faites attention lorsque vous achetez un poulet ; par contre le gibier est toujours pauvre en matières grasses et ne contient pas d'additifs.

La méthode de cuisson de ces aliments est très importante si l'on ne veut pas augmenter la teneur en matières grasses. La cuisson à la vapeur donne d'excellents résultats.

Si vous faites cuire à la vapeur un poulet, veillez à ce qu'il soit suffisamment cuit. Faites un trou dans la partie la plus épaisse — généralement à la jointure de la cuisse — et voyez s'il coule encore du sang. Si oui, c'est que le poulet n'est pas assez cuit.

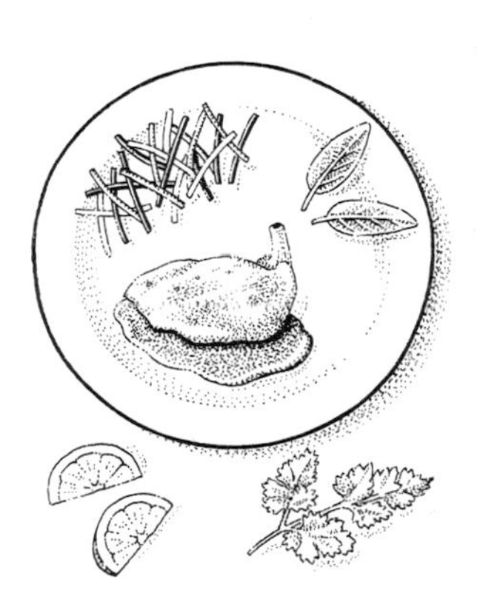

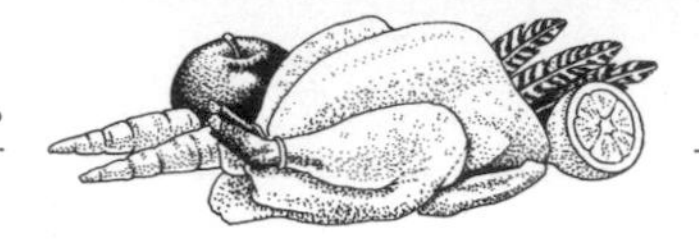

BLANCS DE PIGEON AU CITRON

4 pigeons prêts à cuire, les blancs mis de côté
1 petite carotte hachée gros
1 branche de céleri hachée gros
1 échalote hachée gros
thym
30 cl de vin rouge
2 citrons
4 ciboules épluchées et coupées fin
2 branches de céleri coupées en bâtonnets
100 g de mange-tout épluchés
4 cuillères à soupe de gelée de groseilles
sel et poivre fraîchement moulu
Pour décorer
citron coupé en fines lamelles
persil à feuilles plates ou coriandre

▷ Glissez la pointe d'un couteau de chaque côté de la carcasse pour enlever les blancs. Coupez les carcasses en gros morceaux et faites-les dorer dans une poêle avec la carotte, le céleri et l'échalote. Ajoutez le thym, le vin rouge et de l'eau de manière à couvrir les pigeons. Portez à ébullition, couvrez et laissez mijoter pendant 2 heures, pour obtenir du bouillon.

Pendant ce temps, enlevez l'écorce de la moitié d'un citron et coupez-la en fines lamelles ; faites blanchir les lamelles dans de l'eau bouillante pendant 20 secondes. Mettez de côté. Enlevez la peau blanche des citrons et coupez-les en petits morceaux en réservant le jus. Passez le bouillon dans le compartiment inférieur de la cocotte. Portez à ébullition et écumez. Incorporez au bouillon un citron coupé en petits morceaux. Mettez une feuille de papier sulfurisé au fond du compartiment supérieur de la cocotte. Disposez dessus les ciboules, le céleri, les mange-tout et le restant des morceaux de citrons. Avec un couteau, étalez la gelée de groseilles sur les morceaux de pigeons. Salez et poivrez. Couvrez et faites cuire au-dessus du bouillon pendant 15 minutes.

Vérifiez régulièrement le niveau du liquide et ajoutez du bouillon si nécessaire.

Disposez les morceaux de pigeons et les légumes dans quatre assiettes préalablement chauffées et tenez au chaud. Faites réduire le bouillon en le faisant bouillir rapidement jusqu'à ce qu'il devienne sirupeux. Versez la sauce sur les morceaux de pigeon, décorez et servez.

PINTADES AUX PETITS LÉGUMES

2 pintades prêtes à cuire et coupées en deux dans le sens de la longueur
sel et poivre fraîchement moulu
jus de 1 citron
2 cuillères à soupe d'huile d'olive
1 cuillère à soupe de sauge fraîche hachée
1 cuillère à soupe de ciboulette hachée
2 gousses d'ail écrasées
60 cl de bouillon de poule
1 poivron jaune épépiné et coupé en gros bâtonnets
50 g de mange-tout
50 g de haricots verts coupés en trois
2 carottes coupées en gros bâtonnets
8 radis
50 g de fromage frais
ciboulette hachée pour décorer

La pintade, dont le goût rappelle celui du faisan, est accompagnée d'un choix de légumes colorés et croquants et d'une délicieuse sauce.

▷ Rincez et essuyez les pintades. Salez, poivrez et arrosez les pintades de jus de citron. Faites chauffer l'huile dans une poêle à fond épais. Faites dorer des deux côtés les pintades. Mettez une feuille de papier sulfurisé humide au fond du compartiment supérieur de la cocotte. Disposez les pintades par-dessus. Ajoutez la sauge, la ciboulette et l'ail.

Versez le bouillon dans la poêle. Portez à ébullition. Versez dans le compartiment inférieur de la cocotte. Couvrez et faites cuire à la vapeur au-dessus du bouillon pendant 20 minutes. *Vérifiez régulièrement le niveau du liquide et ajoutez du bouillon ou de l'eau bouillante si nécessaire.* Ajoutez les légumes et faites cuire encore 5 minutes.

Mettez au chaud les pintades et les légumes pendant que vous finissez la sauce. Faites réduire le bouillon en le faisant bouillir jusqu'à ce qu'il devienne sirupeux. Incorporez le fromage frais. Goûtez et rectifiez l'assaisonnement si nécessaire. Servez les pintades sur un lit de légumes et décorez avec la ciboulette. Servez la sauce à part.

VIANDES LÉGÈRES

Depuis quelque temps, la viande n'a semble-t-il, pas très bonne presse. Elle apporte toutefois une quantité importante de protéines, de vitamines B et de fer. Les abats sont généralement excellents pour la santé, car ils contiennent peu de matières grasses et sont riches en vitamines et en sels minéraux. Les parties les plus tendres des animaux sont celles qui bougent le moins, les plus dures étant les pattes, le cou et les épaules. La cuisson à la vapeur de la viande présente deux avantages par rapport aux autres méthodes de cuisson : premièrement la viande reste très bonne tout en conservant tous ses éléments nutritifs ; deuxièmement, vous n'aurez plus jamais de la viande filandreuse qui aura malencontreusement bouilli. Ceci, parce que la viande cuite à la vapeur cuit régulièrement et doucement. J'ai essayé de vous proposer dans ce chapitre des recettes originales et légères dans lesquelles les légumes et les sauces jouent un rôle important.

Agneau en papillote (page 38)

BOUILLON BLOND

Os à moëlle, bœuf, veau ou canard
morceaux de viande crue (sauf agneau)
1 oignon
1 navet
1 carotte
1 branche de céleri
champignons
huile ou graisse
6 branches de persil
2 feuilles de laurier
une pincée de thym
10 grains de poivre noir
30-60 cl de vin rouge ou blanc

Utilisez n'importe quels os crus, sauf ceux d'agneau qui ont un goût très fort qui risque de gâcher votre plat. Ou bien faites-les cuire avant de les utiliser. Mélangez les os d'animaux différents ou alors utilisez-les séparément si vous préférez ne pas mélanger les saveurs.

▷ Demandez à votre boucher de couper les os. Faites-les dorer au four. Épluchez les légumes, hachez-les fin et réservez les épluchures. Faites chauffer l'huile dans un grand faitout et faites dorer les légumes. Ajoutez les os et tous les autres ingrédients, y compris les épluchures. Ajoutez de l'eau de manière à couvrir les os. Portez à ébullition et laissez mijoter pendant 4 heures, en écumant. *Vérifiez régulièrement le niveau du liquide et ajoutez de l'eau bouillante si nécessaire.* Passez le bouillon à travers un linge ou un tamis. Si vous voulez un bouillon plutôt corsé, faites-le réduire en le faisant bouillir rapidement.

BOUILLON BLANC

▷ Suivez la recette du bouillon blond, mais ne faites pas dorer les os et les légumes avant de les utiliser. Les bouillons blancs servent à faire les sauces crémeuses et les ragoûts.

BOUILLON DE POULE

▷ Suivez la recette du bouillon blond et du bouillon blanc et utilisez les abattis (sauf le foie) et la carcasse.

BOULETTES DE BŒUF AU RAIFORT

450 g de bœuf haché extra-maigre
1 blanc d'œuf
2 cuillères à café de raifort râpé ou de sauce au raifort
1 cuillère à café de basilic frais haché
2 échalotes hachées très fin
2 cuillères à café de maïzena
sel et poivre fraîchement moulu
basilic pour décorer

Sauce tomate

1 boîte de tomates coupées en morceaux (450 g)
2 gousses d'ail épluchées et écrasées
1 cuillère à café de basilic frais haché
15 cl de bouillon de bœuf

Pour faire les boulettes, utilisez de la viande de premier choix. Pour les rendre légères, incorporez un blanc d'œuf et de la maïzena. Si le filet de bœuf et le carré de mouton sont trop chers, prenez n'importe quel autre morceau maigre. Veillez à enlever toute la graisse visible.

▷ Passez la viande au mixeur pendant quelques secondes. Incorporez délicatement le blanc d'œuf, le raifort et le basilic et laissez tourner l'appareil encore quelques secondes jusqu'à ce que tous les ingrédients soient bien incorporés. Ajoutez les échalotes et la maïzena. Salez et poivrez abondamment.

Passez vos mains dans la farine et faites des boulettes de 3,5 cm de diamètre. Mettez tous les ingrédients de la sauce dans le compartiment inférieur de la cocotte et portez à ébullition. Placez les boulettes dans le compartiment supérieur. Couvrez et faites cuire au-dessus de la sauce pendant 10 minutes. Répartissez les boulettes dans quatre assiettes préalablement chauffées et mettez au chaud. Passez la sauce tomate au mixeur jusqu'à ce qu'elle soit bien onctueuse.

Goûtez et rectifiez l'assaisonnement si nécessaire. Versez la sauce sur les boulettes et décorez avec le basilic.

FILET DE BŒUF À LA MOUTARDE ET AUX ÉPINARDS

50 g de grains de poivre noir
1,75 kg de filet de bœuf
3 cuillères à café de moutarde
2 cuillères à café d'huile
30 cl de bouillon de bœuf
30 cl de vin rouge
2 cuillères à soupe de cognac
225 g d'épinards lavés et épluchés
100 g de beurre coupé en petits morceaux

▷ Mettez les grains de poivre dans un sac en plastique ou dans une petite serviette et écrasez-les avec un maillet ou un rouleau à pâtisserie.

Étalez 2 cuillères à café de moutarde sur la viande et répartissez les grains de poivre écrasés de chaque côté. Faites chauffer l'huile dans une poêle à fond épais et faites dorer la viande. Mettez de côté. Versez le bouillon de bœuf, le vin rouge et le cognac dans la poêle. Portez à ébullition en grattant les dépôts accrochés au fond. Versez dans le compartiment inférieur de la cocotte et ajoutez le restant de moutarde. Portez à ébullition.

Découpez un morceau de papier aluminium suffisamment grand pour envelopper toute la viande. Disposez les épinards dessus et posez la viande par-dessus. Rabattez les bords et fermez bien. Mettez la viande dans le compartiment supérieur de la cocotte. Couvrez et faites cuire au-dessus du bouillon pendant 30 minutes.

Enlevez la viande et mettez de côté. Faites réduire le bouillon en le faisant bouillir rapidement jusqu'à ce qu'il devienne sirupeux. À feu doux, incorporez le beurre morceau par morceau jusqu'à obtention d'une sauce crémeuse.

Découpez la viande et disposez-la avec les épinards dans quatre assiettes. Nappez de sauce et servez immédiatement.

CONSEILS

▷ Aujourd'hui on mange de moins en moins de viande et on choisit les morceaux les plus maigres qui sont accompagnés de sauces légères et de légumes croquants.

La cuisson à la vapeur donne d'excellents résultats et la viande reste tendre. Suivez les conseils donnés page 123 pour acheter la viande. Les recettes indiquées dans ce livre vous donneront beaucoup d'idées pour préparer des plats délicieux et légers, accompagnés le plus souvent de jus de cuisson et non de sauces riches.

Les abats sont riches en éléments nutritifs et pauvres en matières grasses. Vous trouverez page 68 comment les préparer et comment accommoder d'une manière originale les ris de veau, la cervelle, le foie et les rognons.

Si vous cherchez à améliorer votre alimentation et désirer manger moins de viande, remplacez-la par d'autres aliments, poisson frais, crustacés, volaille, abats, riz et céréales, riches en protéines. Enlevez la graisse avant de faire cuire la viande et dégraissez les sauces. Plus votre alimentation sera variée, mieux vous vous porterez.

AGNEAU EN PAPILLOTE

15 cl de bouillon d'agneau
2 cuillères à soupe de vin rouge
8 côtelettes d'agneau, sans graisse
sel et poivre fraîchement moulu
1 cuillère à soupe d'huile d'olive
1 oignon coupé fin
175 g de haricots grimpants en petits morceaux
175 g de fèves
100 g de petits pois frais ou congelés
2 cuillères à café de menthe hachée
2 cuillères à café de gelée de groseilles
romarin
2 gousses d'ail hachées

▷ Faites bouillir le bouillon et le vin rouge jusqu'à ce qu'ils deviennent sirupeux. Salez et poivrez les côtelettes. Faites chauffer l'huile dans une poêle à fond épais et faites dorer les côtelettes de chaque côté. Mettez de côté. Faites revenir l'oignon dans la même poêle sans le faire roussir. Versez le bouillon et portez à ébullition, en grattant les dépôts accrochés au fond. Mettez de côté. Faites cuire les légumes à la vapeur pendant 3 minutes, puis plongez-les dans l'eau froide.

Découpez quatre feuilles de papier aluminium de 35 cm de côté. Disposez deux côtelettes et le quart des légumes dans chaque feuille. Répartissez la menthe, la gelée de groseilles, le romarin et l'ail. Rabattez les bords de chaque feuille en laissant les papillotes ouvertes. Versez le bouillon et les oignons, salez et poivrez. Fermez les papillotes complètement et mettez-les dans le compartiment supérieur de la cocotte. Couvrez et faites cuire au-dessus de l'eau bouillante pendant 15 minutes. Servez immédiatement.

GIGOT D'AGNEAU AUX HERBES

1 cuillère à café d'huile
1 petit oignon haché
2 poireaux coupés fin
100 g de salsifis hachés
2 grosses gousses d'ail écrasées
1 gigot d'agneau (1 kg)
15 cl de bouillon d'agneau ou de bœuf
1 1/2 cuillère de gelée de groseilles
romarin
menthe
sel et poivre fraîchement moulu
romarin ou menthe pour décorer

L'agneau doit être un peu rose en fin de cuisson et doit être servi immédiatement. Cette recette est une version allégée du traditionnel gigot du dimanche et est certainement plus savoureuse que n'importe quel rôti.

▷ Faites chauffer l'huile dans une poêle à fond épais, faites revenir l'oignon, les poireaux, les salsifis et l'ail pendant 3 minutes. Découpez une feuille de papier aluminium suffisamment grande pour contenir la viande et les légumes. Mettez les légumes au milieu de la feuille. Faites dorer la viande à feu vif de chaque côté et posez-la sur les légumes.

Versez le bouillon dans la poêle et portez-le à ébullition en grattant les dépôts accrochés au fond. Repliez les bords de la feuille sur la viande. Versez le bouillon. Ajoutez la gelée de groseilles, le romarin et la menthe, salez, poivrez et fermez la papillote. Mettez la viande dans la cocotte, couvrez et faites cuire au-dessus de l'eau bouillante pendant 1 heure. *Vérifiez régulièrement le niveau du liquide et ajoutez de l'eau bouillante si nécessaire.*

Enlevez la viande et laissez-la reposer pendant 10 minutes ; pendant ce temps versez les légumes et le bouillon dans un faitout et faites réduire le bouillon en le faisant bouillir jusqu'à ce qu'il devienne sirupeux. Goûtez et rectifiez l'assaisonnement si nécessaire.

Coupez la viande en fines tranches de 1 cm et disposez-les sur le plat de service préalablement chauffé. Nappez de sauce et décorez avec le romarin ou la menthe.

De haut en bas : *Filets de porc marinés aux herbes (page 40) ; Gigot d'agneau aux herbes*

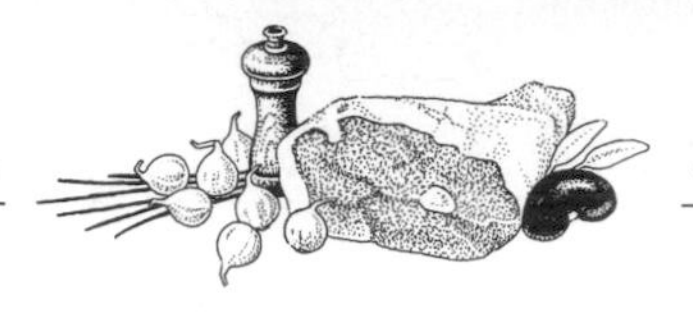

HACHIS D'AGNEAU AUX FLEURS DE THYM

450 g d'agneau maigre haché
1 blanc d'œuf
1 cuillère à soupe de gelée de groseilles
1/2 cuillère à café de fleurs et de feuilles de thym frais
2 gousses d'ail écrasées
4 ciboules hachées fin
1 cuillère à café de maïzena
sel et poivre fraîchement moulu
30 cl de bouillon d'agneau ou de bœuf
thym
8 petites carottes
8 petits navets
50 g de mange-tout
8 radis épluchés
100 g de beurre coupé en petits morceaux
thym en fleurs ou persil à feuilles plates pour décorer

Le meilleur thym vient des terrains broussailleux situés près de la mer. Il pousse après les dernières gelées et couvre les collines de fleurs bleues ou roses. Les fleurs ne durent que deux semaines au mois de mai. Utilisez du thym frais si vous ne trouvez pas de fleurs.

▷ Passez l'agneau au mixeur pendant quelques secondes. Incorporez délicatement le blanc d'œuf, la gelée de groseilles, les fleurs et les feuilles de thym. Faites tourner l'appareil encore quelques secondes jusqu'à ce que tous les ingrédients soient bien incorporés à la viande. Ajoutez l'ail, les ciboules, la maïzena et mélangez. Salez et poivrez. Répartissez le mélange en boulettes de 3,5 cm de diamètre. Faites bouillir le bouillon dans le compartiment inférieur de la cocotte. Mettez les boulettes, le thym et les légumes dans le compartiment supérieur. Couvrez et faites cuire à la vapeur au-dessus du bouillon pendant 10 minutes.

Disposez les boulettes et les légumes dans quatre assiettes préalablement chauffées et tenez au chaud. Faites réduire le bouillon en le faisant bouillir jusqu'à ce qu'il devienne sirupeux. Incorporez le beurre morceau par morceau jusqu'à obtention d'une sauce crémeuse. Versez la sauce sur les boulettes de viande et les légumes. Décorez avec le thym en fleurs ou le persil.

FILETS DE PORC MARINÉS AUX HERBES

8 filets de porc (150 g)
sel et poivre fraîchement moulu
30 cl de vin rouge
jus de 1 citron
3 cuillères à soupe d'herbes fraîches, sauge, origan, marjolaine, thym, persil
1 kg de poireaux coupés fin
100 g de gruyère râpé
1 cuillère à soupe d'huile
30 cl de bouillon de porc ou de poule
1 cuillère à soupe de pommes hachées
Pour décorer
2 cuillères à soupe d'herbes fraîches hachées, persil, sauge, origan, marjolaine, thym
pommes rouges et vertes coupées en rondelles

▷ Mettez les filets de porc entre deux feuilles de papier sulfurisé humide et aplatissez-les avec un maillet ou un rouleau à pâtisserie. Salez et poivrez des deux côtés.

Disposez les filets dans un plat avec le vin rouge, le jus de citron et 1 cuillère à soupe d'herbes. Laissez mariner pendant 2 heures. Mettez une feuille de papier sulfurisé humide au fond du compartiment supérieur de la cocotte et mettez les morceaux de poireau dessus.

Enlevez les filets de la marinade. Étalez le fromage sur chaque filet, puis roulez-les. Faites chauffer l'huile dans une poêle à fond épais et faites dorer les filets de porc des deux côtés. Mettez-les côte à côte sur les poireaux et ajoutez le restant d'herbes. Faites bouillir dans la même poêle le bouillon, le restant de marinade et les pommes hachées. Versez dans la cocotte, couvrez et faites cuire au-dessus du bouillon pendant 20 minutes. Disposez les rouleaux de porc et les poireaux dans quatre assiettes préalablement chauffées et tenez au chaud. Faites réduire la sauce en la faisant bouillir jusqu'à ce qu'elle devienne sirupeuse. Goûtez et rectifiez l'assaisonnement si nécessaire.

Versez la sauce sur les rouleaux de porc, décorez avec les herbes et les rondelles de pommes. Servez immédiatement.

CRÊPES AU VEAU

Le veau mélangé avec du citron et des légumes est enveloppé dans une fine crêpe. Pour cette recette, vous pouvez choisir des légumes de saison.

- 4 escalopes de veau (150 g) coupées en lamelles
- 2 cuillères à café de maïzena
- jus de 1 citron
- 6 cuillères à soupe de vin blanc

Crêpes

- 100 g de farine tamisée
- une pincée de sel
- 1 œuf battu
- 15 cl de lait
- 15 cl d'eau

- 1 cuillère à soupe d'huile
- 50 cl de bouillon de veau
- 50 g de mange-tout
- 75 g de salsifis coupés en lamelles
- 4 ciboules hachées fin
- 1 carotte coupée en lamelles
- sel et poivre fraîchement moulu

▹ Mettez le veau dans un plat creux, mélangez la maïzena et le jus de citron de manière à obtenir une crème onctueuse. Ajoutez le vin blanc et versez sur le veau. Laissez mariner pendant 1-2 heures.

Pendant ce temps, préparez les crêpes. Mettez tous les ingrédients dans le mixeur et faites-le tourner pendant 10 secondes jusqu'à obtention d'une pâte onctueuse. Mettez au réfrigérateur pendant 30 minutes. Faites chauffer un peu d'huile dans la poêle. Versez une cuillère à soupe de pâte en agitant la poêle pour qu'elle s'étende régulièrement. Faites cuire à feu vif pendant 30 secondes-1 minute. Retournez la crêpe et faites cuire l'autre côté. Faites toutes les crêpes et mettez-les sur une assiette.

Versez 15 cl de bouillon de veau ainsi que la marinade dans un faitout après avoir mis de côté le veau. Faites bouillir en tournant constamment jusqu'à obtention d'un mélange sirupeux. Faites blanchir les légumes dans l'eau bouillante pendant 10 secondes. Mélangez le veau, la sauce et les trois-quarts des légumes. Salez et poivrez.

Répartissez le mélange dans douze crêpes. Disposez les crêpes côte à côte dans le compartiment supérieur de la cocotte. Portez à ébullition le restant du bouillon. Couvrez et faites cuire au-dessus du bouillon pendant 10 minutes.

Disposez trois crêpes dans chaque assiette et tenez au chaud. Faites réduire le bouillon en le faisant bouillir rapidement jusqu'à ce qu'il devienne sirupeux. Garnissez les crêpes du restant de légumes et servez immédiatement. Servez la sauce séparément.

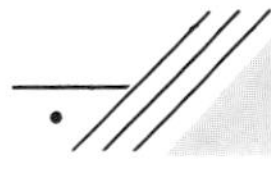

CONSEILS

▹ Les crêpes se congèlent très bien ; si vous avez le temps, faites-en une grande quantité. Séparez les crêpes avec du film alimentaire ou du papier sulfurisé en les empilant à plat l'une sur l'autre et mettez-les au congélateur.

RIS DE VEAU AUX ÉPINARDS ET AUX COURGETTES

600 g de ris de veau
450 g de courgettes coupées en bâtonnets
sel et poivre fraîchement moulu
1 cuillère à soupe d'huile d'olive
2 échalotes hachées fin
75 g de lard fumé découenné et coupé en dés
30 cl de bouillon de veau ou de bœuf
1/2 cuillère à café de vinaigre de vin rouge
450 g d'épinards
persil à feuilles plates pour décorer

Les ris de veau sont vendus par deux ; ils sont tendres et ont un goût très fin.

▷ Couvrez et faites tremper les ris de veau dans l'eau froide pendant plusieurs heures, en changeant l'eau régulièrement. Mettez les courgettes dans une passoire, salez et laissez dégorger pendant 30 minutes. Faites chauffer l'huile dans une poêle et faites dorer les échalotes et le lard. Blanchissez les ris de veau dans de l'eau bouillante pendant 5-10 minutes. Mettez-les à refroidir dans l'eau froide et enlevez la peau avec un petit couteau. Rincez les courgettes sous l'eau froide.

Faites bouillir le bouillon de veau et le vinaigre dans le compartiment inférieur de la cocotte. Disposez les épinards, les courgettes, les échalotes, le lard et les ris de veau dans le compartiment supérieur. Salez et poivrez. Couvrez et faites cuire au-dessus du bouillon pendant 20-25 minutes. Retirez les ris de veau et coupez-les en tranches ; disposez-les avec les légumes dans quatre assiettes et tenez au chaud. Faites réduire le bouillon en le faisant bouillir rapidement jusqu'à ce qu'il devienne sirupeux. Versez-le sur les ris de veau et saupoudrez de persil.

HACHIS DE VEAU AU POIVRE VERT

1 cuillère à soupe d'huile d'olive
1 petit oignon haché fin
1/2 poivron rouge épépiné, en dés
2 gousses d'ail écrasées
275 g de veau à braiser, haché
75 g de fèves hachées fin
50 g de maïs frais ou congelé
1 cuillère à soupe de persil haché
1 cuillère à café de grains de poivre vert
sel et poivre fraîchement moulu
8 grandes feuilles de laitue

Sauce
30 cl de bouillon de veau ou de poule
2 cuillères à soupe de vinaigre blanc avec des grains de poivre vert
1 cuillère à café de grains de poivre vert
1 cuillère à café de miel

Le poivre vert en grains s'achètent en boîte ou en pot ; rincez soigneusement les grains sous l'eau froide pour enlever le sel. Si vous ne trouvez pas de vinaigre au poivre vert, versez 1 cuillère à café de grains de poivre bien rincés dans 15 cl de vinaigre de vin blanc et laissez reposer toute la nuit si possible.

▷ Faites chauffer l'huile dans une poêle. Faites revenir l'oignon, le poivron rouge et l'ail sans les faire roussir. Incorporez le veau, les fèves, le maïs, le persil et les grains de poivre. Salez et poivrez abondamment. Faites revenir pendant 4 minutes en mélangeant bien. Faites cuire à la vapeur les feuilles de laitue au-dessus du bouillon pendant 20 secondes ou jusqu'à ce qu'elles soient juste molles.

Répartissez le mélange dans les huit feuilles et refermez-les complètement. Disposez-les côte à côte dans la cocotte. Salez et poivrez l'extérieur des feuilles. Couvrez et faites cuire au-dessus du bouillon pendant 10 minutes. Disposez deux feuilles de laitue par assiette. Tenez au chaud.

Faites réduire le bouillon de veau ou de poule jusqu'à ce qu'il devienne sirupeux. Incorporez le vinaigre, les grains de poivre vert et le miel. Goûtez et rectifiez l'assaisonnement si nécessaire. Versez sur les feuilles de laitue et servez.

CERVELLES DE VEAU AU BEURRE NOIR

4 cervelles de veau (ou d'agneau)
jus de 1 citron
30 cl de court-bouillon (page 14)
sel et poivre fraîchement moulu
75 g de beurre
1 cuillère à soupe de câpres
1 échalote hachée fin
1/2 cuillère à café de vinaigre de câpre ou de vin blanc
1 cuillère à café de persil haché pour décorer

Les cervelles de veau ont un goût savoureux et très fin, mais elles sont difficiles à trouver et surtout elles sont très chères. Vous pouvez les remplacer par des cervelles d'agneau.

Les cervelles, comme les ris, doivent tremper dans l'eau froide pendant plusieurs heures et l'eau doit être changée régulièrement pour enlever le sang.

▷ Faites tremper les cervelles dans de l'eau froide avec le jus de citron pendant 2-3 heures. Égouttez-les. Faites bouillir le court-bouillon dans le compartiment inférieur de la cocotte. Mettez les cervelles dans le compartiment supérieur. Couvrez et faites cuire à la vapeur au-dessus du bouillon pendant 15 minutes. Coupez les cervelles en tranches en enlevant les membranes. Disposez-les sur le plat de service préalablement chauffé, salez, poivrez et tenez au chaud.

Faites chauffer le beurre dans une poêle jusqu'à ce qu'il roussisse, mais sans le faire brûler. Incorporez les câpres, l'échalote et le vinaigre. Portez à ébullition et versez le mélange sur les cervelles. Saupoudrez de persil et servez immédiatement.

FOIE DE VEAU À LA MOUTARDE

350 g de foie de veau
175-225 g de mie de pain fraîche
1 blanc d'œuf
4 cuillères à café de moutarde
1 cuillère à café de sauge fraîche hachée
2 échalotes hachées très fin
5 cuillères à café de maïzena
sel et poivre fraîchement moulu
15 g de beurre
2 gousses d'ail écrasées
450 g de champignons lavés et hachés fin
30 cl de bouillon de veau ou de bœuf
100 g de beurre coupé en petits morceaux
sauge pour décorer

Le foie de veau peut être remplacé par du foie d'agneau qui est moins cher, mais moins savoureux.

▷ Passez au mixeur le foie et la mie de pain en quantité suffisante pour former une pâte lisse. Incorporez le blanc d'œuf, 2 cuillères à café de moutarde et 1/2 cuillère à café de sauge. Mixez pendant quelques secondes jusqu'à ce que tous les ingrédients soient incorporés au foie. Ajoutez les échalotes et la maïzena, mixez. Salez et poivrez abondamment.

Passez vos mains dans la maïzena et faites des boulettes de 3,5 cm de diamètre. Faites chauffer le beurre dans une poêle et faites revenir l'ail et les champignons pendant 2 minutes.

Faites bouillir le bouillon dans le compartiment inférieur de la cocotte. Mettez une feuille de papier sulfurisé humide au fond du compartiment supérieur et étalez les champignons dessus. Disposez les boulettes de foie sur les champignons, couvrez et faites cuire au-dessus du bouillon pendant 6 minutes.

Disposez les boulettes dans quatre assiettes préalablement chauffées et tenez au chaud.

Versez les champignons et le jus du foie dans le bouillon. Ajoutez le restant de moutarde et de sauge. Faites réduire en faisant bouillir rapidement jusqu'à ce que le bouillon devienne sirupeux. Incorporez le beurre morceau par morceau jusqu'à obtention d'une sauce crémeuse.

Versez la sauce sur les boulettes, décorez avec la sauge et servez immédiatement.

FOIE D'AGNEAU AUX PETITS OIGNONS

▷ Salez et poivrez le foie et mettez-le dans un plat avec le jus de citron, le vin blanc sec, le miel, les oignons et 1 cuillère à soupe de ciboulette. Laissez mariner pendant 2 heures. Découpez une feuille de papier sulfurisé suffisamment grande pour envelopper tous les ingrédients.

Mettez tous les ingrédients sur la feuille de papier sulfurisé. Repliez les bords, versez la marinade et refermez complètement. Mettez la papillote dans le compartiment supérieur de la cocotte. Faites bouillir le bouillon et le restant de la ciboulette dans le compartiment inférieur. Couvrez et faites cuire à la vapeur au-dessus du bouillon pendant 10 minutes. Enlevez la papillote et versez le jus du foie dans le bouillon. Tenez le foie au chaud.

Faites bouillir le bouillon jusqu'à ce qu'il devienne sirupeux. A feu doux, incorporez le beurre morceau par morceau jusqu'à obtention d'une sauce crémeuse. Disposez le foie et les oignons dans quatre assiettes préalablement chauffées. Versez la sauce et garnissez de lard fumé et de ciboulette hachée. Servez immédiatement.

450 g de foie d'agneau coupé en lamelles
sel et poivre fraîchement moulu
jus de 1/2 citron
2 cuillères à soupe de vin blanc sec
1/2 cuillère à café de miel
16 petits oignons
3 cuillères à soupe de ciboulette hachée
15 cl de bouillon de bœuf
50 g de beurre coupé en petits morceaux

Garniture

50 g de lard fumé cuit, découenné et coupé en dés
1 cuillère à soupe de ciboulette hachée

ROGNONS AUX POIVRONS

Vous pouvez acheter des rognons de veau, d'agneau, de porc ou de bœuf. Les rognons de veau sont certainement plus tendres et plus savoureux, mais ce sont évidemment les plus chers.

▷ Coupez les rognons en petits morceaux et mettez-les dans un plat avec le jus d'orange et de citron, le cognac, le sel et le poivre. Laissez mariner pendant 2 heures.

Hachez gros un poivron et demi et coupez la dernière moitié en fines lamelles pour la décoration. Mettez dans le compartiment inférieur de la cocotte les poivrons hachés, les piments, le bouillon, le concentré de tomates et les trois quarts du lard fumé. Ajoutez la marinade et mélangez. Portez à ébullition. Mettez les rognons sur une feuille de papier sulfurisé humide au fond du compartiment supérieur de la cocotte. Couvrez et faites cuire à la vapeur au-dessus du bouillon et des poivrons pendant 7 minutes. Faites griller le lard restant pour la décoration.

Disposez les rognons dans quatre assiettes préalablement chauffées et tenez au chaud. Passez au mixeur le mélange à base de poivrons. Goûtez et rectifiez l'assaisonnement si nécessaire.

Versez la sauce sur les rognons et décorez avec le poivron rouge coupé en fines lamelles et le lard grillé. Servez immédiatement.

450 g de rognons
jus de 1 orange
jus de 1 citron
1 cuillère à soupe de cognac
sel et poivre fraîchement moulu
2 poivrons rouges épépinés
2 piments verts ou rouges épépinés et hachés fin
15 cl de bouillon de veau
1 cuillère à soupe de concentré de tomates
100 g de lard fumé découenné et coupé en lamelles

Pour décorer

poivron rouge coupé en fines lamelles
lard coupé en fines lamelles

LÉGUMES VARIÉS

La consommation de légumes est en nette augmentation depuis que l'on s'intéresse davantage à la diététique et que l'on conseille de manger moins de matières grasses et plus de fibres. Les légumes sont riches en cellulose et en fibres, et renferment des vitamines et des sels minéraux que l'on ne trouve pas toujours dans les autres aliments. Par ailleurs, les légumes jouent un rôle important dans la présentation d'un plat. Pour conserver tous leurs éléments nutritifs, les légumes ne doivent pas être stockés trop longtemps. Évitez de les plonger dans l'eau, car la vitamine C est hydrosoluble, et épluchez-les juste avant de les utiliser, sinon la vitamine C s'échappe, ce qui noircit par exemple les pommes et les pommes de terre. Sachez que si vous faites bouillir un légume pendant 8-10 minutes, 65-80 % de la vitamine C et du phosphore disparaissent, et le légume perd sa couleur, son goût et sa forme. Les recettes indiquées dans les pages suivantes peuvent constituer un repas complet, servies avec du fromage et/ou du pain complet ; elles peuvent également servir d'accompagnement.

Nid de petits légumes (ci-contre)

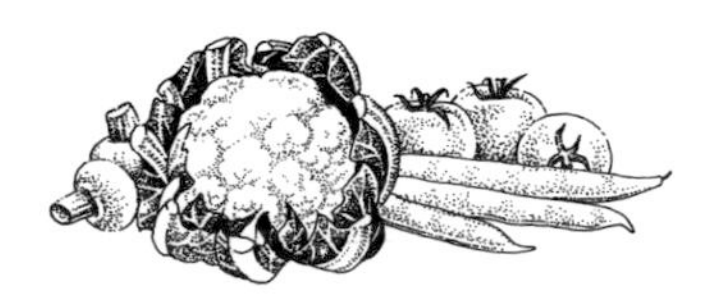

ARC-EN-CIEL DE LÉGUMES

Les légumes jouant aujourd'hui un rôle important dans notre alimentation, choisissez des légumes dont la couleur et l'aspect éveillent l'appétit. Cette recette accompagne à merveille n'importe quelle viande ou peut être servie saupoudrée de fromage râpé et dorée au gril, avec du pain frais.

- 50 g de beurre
- 1 cuillère à soupe d'herbes fraîches hachées, menthe, persil
- sel et poivre fraîchement moulu
- 4 courgettes coupées en deux dans le sens de la longueur
- 2 poireaux en grosses rondelles
- 2 grosses carottes en gros bâtonnets
- 100 g de haricots verts
- 4 branches de céleri en gros bâtonnets
- 1 petite botte de cresson

▻ Mélangez le beurre avec les herbes, salez et poivrez. Mettez les courgettes, les poireaux, les carottes, les haricots et le céleri dans la cocotte, salez et poivrez abondamment.

Couvrez et faites cuire à la vapeur au-dessus de l'eau bouillante pendant 3-5 minutes. Ajoutez le cresson et faites cuire encore 1 minute. Versez les légumes sur le plat de service préalablement chauffé et décorez avec de petits morceaux de beurre aux herbes.

NID DE PETITS LÉGUMES

Les légumes restent entiers de manière à conserver toutes leurs vitamines et tous leurs sels minéraux. Ils accompagnent très bien la viande, le poisson, la volaille ou le gibier. Vos invités ouvriront eux-mêmes les papillotes à table.

- 12 petites carottes
- 12 petits navets
- 50 g de mange-tout
- 100 g de haricots verts
- 8 petits oignons
- 8 radis
- 50 g de beurre
- 4 cuillères à soupe de vin blanc
- 4 lamelles de zeste de citron
- 4 cuillères à café d'herbes fraîches hachées, cerfeuil, ciboulette, menthe
- sel et poivre fraîchement moulu

▻ Pliez en deux huit feuilles de papier sulfurisé et découpez un demi-cercle de 15 cm de rayon dans chaque feuille de manière à ce que, en dépliant les feuilles, vous obteniez huit ronds de 30 cm de diamètre.

Répartissez tous les ingrédients dans les huit ronds en n'occupant que la moitié de chaque rond, salez et poivrez abondamment. Rabattez la moitié libre pour faire comme un chausson. Repliez deux fois de suite les bords des feuilles de papier, en les entortillant et en serrant bien pour que l'air ne puisse pas rentrer.

Mettez les nids dans la cocotte. Couvrez et faites cuire au-dessus de l'eau bouillante pendant 8-10 minutes.

Servez immédiatement.

Disposez les nids par deux dans les assiettes.

TRIO DE LÉGUMES

Coulis de carottes
225 g de carottes hachées
15 cl de jus d'orange
50 g de fromage blanc
sel et poivre fraîchement moulu
une pincée de coriandre en poudre
1 cuillère à café de jus de citron

Coulis de choux de Bruxelles
225 g de choux de Bruxelles en rondelles
15 cl de bouillon de poule
50 g de fromage blanc
1 cuillère à café de jus de citron
1/2 cuillère à café de menthe hachée
sel et poivre fraîchement moulu

Coulis de panais
225 g de panais en rondelles
15 cl de bouillon de poule
50 g de fromage blanc
1 cuillère à café de jus de citron
sel et poivre fraîchement moulu
une pincée de muscade râpée

Cet extraordinaire mélange de légumes accompagne parfaitement bien le poisson cuit à la vapeur. C'est un plat léger et savoureux.

J'ai choisi ces légumes à cause de leurs couleurs et de leurs goûts très contrastés. Vous pouvez bien sûr utiliser d'autres légumes, mais ne perdez pas de vue l'aspect général du plat. Pour gagner du temps, faites cuire les légumes séparément, mais en même temps.

▷ Faites cuire à la vapeur les carottes au-dessus du jus d'orange pendant 10 minutes. Mélangez les carottes et le jus d'orange dans le mixeur, incorporez le fromage blanc, salez, poivrez et ajoutez la coriandre et le jus de citron. Goûtez et rectifiez l'assaisonnement si nécessaire. Couvrez et tenez au chaud.

Faites cuire à la vapeur les choux de Bruxelles au-dessus du bouillon pendant 10 minutes. Mélangez les choux de Bruxelles avec le bouillon dans le mixeur et incorporez le fromage blanc, le jus de citron et la menthe. Salez et poivrez. Goûtez et rectifiez l'assaisonnement si nécessaire. Couvrez et tenez au chaud.

Faites cuire à la vapeur les panais au-dessus du bouillon pendant 10 minutes. Mélangez les panais et le bouillon dans le mixeur et incorporez le fromage blanc et le jus de citron. Salez, poivrez et ajoutez la muscade. Couvrez et tenez au chaud.

Versez côte à côte le coulis de choux de Bruxelles et le coulis de panais dans les assiettes préalablement chauffées. Garnissez de coulis de carottes. Disposez par-dessus le poisson ou la viande.

Servez immédiatement.

CONSEILS

▷ Les légumes frais jouent un rôle extrêmement bénéfique dans notre alimentation.

Les recettes figurant dans ce chapitre prouvent que les légumes peuvent être accommodés d'une manière tout à fait appétissante et qu'une alimentation saine est tout, sauf ennuyeuse.

Les légumes sont riches en fibres, en vitamines — essentiellement A et C — et en sels minéraux. Certains légumes verts fournissent également du fer, du calcium et de la vitamine B1. D'autre part, les légumes bien cuits et biens présentés contribuent de par leur aspect et leurs couleurs au succès d'un plat.

Cuits à la vapeur, les légumes conservent tous leurs éléments nutritifs lesquels, sinon, se dissoudraient dans le liquide de cuisson. Cette méthode permet également de contrôler de près la cuisson, de manière à obtenir des légumes croquants et cuits à point. Les aliments étant tous de même taille, ils sont cuits de manière homogène.

Préparez les légumes comme vous en avez l'habitude. Disposez-les dans le compartiment supérieur de la cocotte et faites-les cuire à la vapeur au-dessus de l'eau bouillante ou d'un autre liquide. Servez les légumes avec du beurre et des herbes fraîches hachées, ou bien avec du beurre aux herbes ; vous pouvez également les servir avec une sauce hollandaise. Le temps de cuisson dépend de la taille des légumes et du but poursuivi. Comptez 25 minutes pour les pommes de terre et pour les autres légumes-racines qui doivent rester tendres. Diminuez le temps de cuisson si vous voulez des légumes croquants ; ajoutez quelques minutes au temps qu'il aurait fallu normalement pour cuire les légumes dans de l'eau bouillante.

PAIN D'ÉPINARDS SUR UN LIT DE POIVRONS JAUNES

Ce plat aux couleurs et aux saveurs extrêmement contrastées peut être servi comme entrée ou comme plat principal, avec de la salade et du pain bis frais.
Il peut être fait d'avance et se sert chaud ou froid.

25 g de beurre
2 gousses d'ail écrasées
225 g de poireaux hachés fin
sel et poivre fraîchement moulu
275 g d'épinards équeutés
50 g de mie de pain fraîche
2 œufs
1 jaune d'œuf
une pincée de noix de muscade râpée
35 cl de lait
2 poivrons jaunes épépinés et hachés gros
jus de 1/2 citron
1 échalote hachée fin
15 cl de bouillon de légumes ou de poule
cerfeuil pour décorer

▻ Faites fondre le beurre dans une poêle et faites revenir l'ail et les poireaux jusqu'à ce qu'ils soient mous, mais sans les faires roussir. Salez et poivrez. Faites cuire à la vapeur les feuilles d'épinards pendant 10 secondes, jusqu'à ce qu'elles soient molles. Choisissez 15 feuilles et faites-les sécher sur du papier absorbant. Pressez les épinards restants entre deux assiettes pour faire sortir l'eau et hachez-les.

Beurrez un moule de 450 g et tapissez-le de feuilles d'épinards. Mélangez les épinards hachés avec les poireaux. Enlevez du feu et ajoutez la mie de pain, les œufs, le jaune d'œuf et la muscade ; salez et poivrez abondamment.

Faites chauffer le lait sans le faire bouillir et mélangez-le avec les légumes. Versez le mélange dans le moule. Couvrez avec du papier sulfurisé, maintenu en place avec un morceau de ficelle. Couvrez et faites cuire très doucement à la vapeur sur de l'eau frémissante pendant 50-60 minutes. Le mélange ne doit pas devenir trop chaud, sinon les œufs risquent de prendre et le pain sera tout grumeleux.

Pendant ce temps, préparez la sauce. Mettez les poivrons jaunes, le jus de citron, l'échalote et le bouillon dans une casserole, portez à ébullition et laissez mijotez pendant 10 minutes. Passez au mixeur, puis tamisez. Goûtez et rectifiez l'assaisonnement si nécessaire. Versez la sauce dans le plat de service. Démoulez le pain sur la sauce en décollant les bords avec un couteau pointu.

Décorez avec le cerfeuil.

SALADE PROVENÇALE

1 boîte de filets d'anchois (50 g)
un peu de lait
1/2 poivron jaune
1/2 poivron rouge
1/2 poivron vert
1 petit fenouil
1/2 chou-fleur
225 g de brocolis
100 g de champignons
8 tomates cerises
100 g de haricots grimpants
6 cuillères à soupe d'huile d'olive
3 cuillères à soupe de vinaigre de vin rouge
1/2 cuillère à café de thym
1 cuillère à soupe de basilic
1 cuillère à soupe de moutarde
sel et poivre fraîchement moulu

Servez cette salade dans un grand saladier en bois, mélangée avec des anchois chauds. Vous pouvez utiliser n'importe quels légumes de votre choix. Servez avec du pain bis et du beurre.

▷ Faites tremper les anchois dans un peu de lait pendant 30 minutes. Égouttez-les et rincez-les sous l'eau froide. Épépinez les poivrons et coupez-les en bâtonnets. Coupez le fenouil en gros morceaux, le chou-fleur et les brocolis en bouquets. Épluchez et coupez les haricots en deux. Lavez les légumes et faites-les cuire à la vapeur au-dessus de l'eau bouillante pendant 3-5 minutes.

Pendant ce temps, préparez la sauce. Mettez les anchois, l'huile, le vinaigre, le thym, le basilic et la moutarde dans le mixeur. Mélangez pendant quelques secondes. Salez et poivrez.

Mélangez les légumes chauds et la sauce et servez immédiatement.

HARICOTS ET FÈVES DU JARDIN

En été, tous les légumes peuvent être cueillis en même temps. Cette recette associe deux légumes délicieux, accompagnés d'une sauce hollandaise.

450 g de fèves écossées
450 g de haricots verts coupés en quatre
sel et poivre fraîchement moulu
jus de 1/2 citron

Sauce hollandaise aux herbes

2 jaunes d'œufs
2 cuillères à soupe de jus de citron
sel et poivre fraîchement moulu
100 g de beurre fondu
2 cuillères à soupe d'herbes fraîches hachées, menthe, persil, aneth, estragon

▷ Salez et poivrez les haricots et les fèves. Ajoutez le jus de citron. Couvrez et faites cuire à la vapeur au-dessus de l'eau bouillante pendant 5-7 minutes ou jusqu'à ce que les légumes soient tendres.

Pendant ce temps, préparez la sauce hollandaise. Mettez les jaunes d'œufs et le jus de citron dans le mixeur, salez et poivrez. Mélangez pendant quelques secondes. Pendant que l'appareil continue à tourner, ajoutez progressivement le beurre fondu jusqu'à ce que la sauce épaississe. Ajoutez les herbes. Goûtez et rectifiez l'assaisonnement si nécessaire.

Mettez les légumes dans le plat de service préalablement chauffé, versez la sauce par-dessus et servez immédiatement.

CONCOMBRE AUX PETITS POIS ET À LA MENTHE

1 concombre
100 g de petits pois
1 cuillère à café de jus de citron
1 cuillère à café de menthe hachée
1 cuillère à café de sucre
25 g de beurre
sel et poivre fraîchement moulu
menthe pour décorer

Ce plat, qui accompagne très bien le saumon cuit à la vapeur, est trés apprécié en été.

▷ Rincez le concombre et coupez-le en bâtonnets. Découpez une feuille de papier aluminium suffisamment grande pour contenir tous les légumes. Mélangez délicatement tous les ingrédients. Mettez-les sur la feuille de papier aluminium, salez et poivrez abondamment. Refermez la feuille et faites cuire à la vapeur au-dessus de l'eau bouillante pendant 8 minutes.

Sortez les légumes de la feuille et décorez avec la menthe. Servez immédiatement.

PETITS POIS DE JUIN

1 kg de petits pois
1 botte de ciboules coupées fin
8 feuilles de romaine émincées
1 cuillère à soupe de persil haché
1 cuillère à café de sucre en poudre
25 g de beurre
1 gousse d'ail écrasée
sel et poivre fraîchement moulu

▷ Mettez une feuille de papier sulfurisé humide au fond du compartiment inférieur de la cocotte. Mettez par-dessus les petits pois, les ciboules, les feuilles de romaine, le persil, le sucre, le beurre et l'ail. Salez et poivrez abondamment.

Couvrez et faites cuire au-dessus de l'eau bouillante pendant 1 heure. *Vérifiez régulièrement le niveau du liquide et ajoutez de l'eau bouillante si nécessaire.*

Dès que les petits pois sont tendres, servez.

CONSEILS

▷ Les petits pois du jardin sont devenus moins populaires et sont souvent délaissés au profit des petits pois congelés. S'ils continuent à être cultivés dans les jardins potagers, leur apparition au début de l'été sur le marché est plutôt incertaine. N'hésitez pas à en acheter.

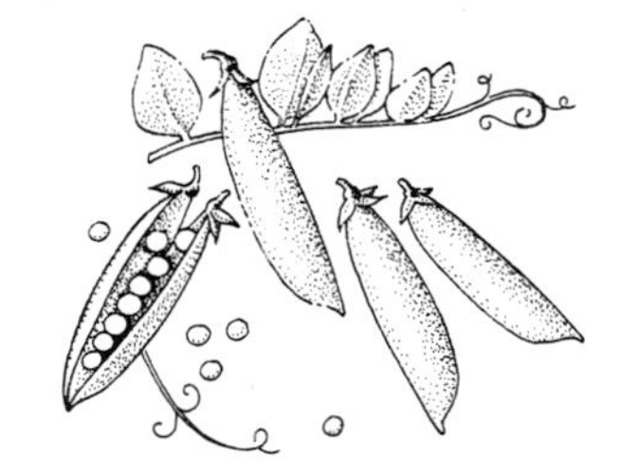

Les petits pois ne doivent pas être ramassés trop gros, sinon ils sont durs ; ils doivent être d'un beau vert et bien ronds. Leur goût et leur aspect changent une fois qu'ils ont été cueillis, le sucre qu'ils contiennent se transformant progressivement en amidon. Il est donc important qu'ils soient bien frais.

ENDIVES AU PARMESAN

L'endive cuite à la vapeur avec des tomates et des oignons accompagne parfaitement bien la viande et la volaille. Les végétariens peuvent doubler les quantités et servir ce plat avec du pain.

- 4 endives coupées en deux dans le sens de la longueur
- 1 cuillère à café de jus de citron
- 15 g de beurre
- 2 oignons coupés fin
- 1 grosse gousse d'ail écrasée
- 4 tomates pelées et épépinées
- sel et poivre fraîchement moulu
- 100 g d'épinards équeutés
- 50 g de parmesan fraîchement râpé

▷ Enlevez le cœur des endives et arrosez-les de jus de citron. Faites chauffer le beurre dans une poêle et faites revenir les oignons, l'ail et les tomates pendant 3 minutes. Salez et poivrez abondamment.

Mettez une feuille de papier sulfurisé humide au fond de la cocotte et disposez dessus les épinards sur une couche. Mettez les endives par-dessus et recouvrez avec les tomates et les oignons. Couvrez et faites cuire à la vapeur pendant 8 minutes.

Disposez les légumes dans le plat de service préalablement chauffé et saupoudrez de parmesan râpé. Servez immédiatement.

TERRINE DE LÉGUMES FRAIS

Cette terrine de légumes n'est pas difficile à préparer et fait beaucoup d'effet. Si vous voulez la servir en entrée, divisez les quantités par deux et servez-la avec une vinaigrette aux herbes. Sinon, servez-la en plat principal avec des pommes de terre au four, de la ciboulette et de la crème fraîche.

Couche de panais
- 225 g de panais hachés gros
- 16 feuilles de persil plat
- 1 œuf
- 5 cl de crème fraîche
- une bonne pincée de noix de muscade râpée
- sel et poivre fraîchement moulu

Couche de carottes
- 225 g de carottes hachées gros
- 1 œuf
- 5 cl de crème fraîche
- une bonne pincée de coriandre en poudre

Couches d'épinards
- 1 œuf
- 5 cl de crème fraîche
- 450 g d'épinards congelés hachés
- une bonne pincée de noix de muscade râpée

▷ Huilez légèrement un moule à gâteau de 1 l, puis faites-le égoutter à l'envers sur du papier absorbant. Faites cuire à la vapeur séparément les panais et les carottes jusqu'à ce qu'ils soient tendres.

Disposez les feuilles de persil au fond du moule. Passez au mixeur les panais mélangés avec l'œuf et la crème fraîche jusqu'à obtention d'un mélange onctueux. Ajoutez la noix de muscade, salez et poivrez. Passez au mixeur les carottes mélangées avec l'œuf et la crème fraîche, ajoutez la coriandre, salez et poivrez. Battez l'œuf restant et la crème fraîche avec les épinards jusqu'à obtention d'un mélange onctueux, ajoutez la noix de muscade, salez et poivrez.

Étalez les panais au fond du moule. Recouvrez avec une couche de carottes, puis avec une couche d'épinards. Couvrez avec du papier aluminium ou du papier sulfurisé, maintenu en place avec un morceau de ficelle. Mettez le moule dans la cocotte ou dans un faitout rempli à mi-hauteur d'eau bouillante et couvert et faites cuire pendant 1 heure ou jusqu'à ce que la mousse soit ferme au toucher.

Démoulez sur le plat de service en décollant les bords avec un couteau. Servez la terrine chaude ou froide.

TOMATES FARCIES AU CHÈVRE ET À L'OSEILLE

4 grosses tomates
sel et poivre fraîchement moulu
4 grosses feuilles de romaine coupées en morceaux
100 g de fromage de chèvre, sans peau et coupé fin
2 échalotes hachées fin
1 cuillère à soupe d'oseille fraîche ciselée

Si vous voulez servir les tomates en plat principal, farcissez-les avec des légumes frais de saison et des herbes et servez-les avec une sauce au cresson et du pain bis. Si vous ne trouvez pas d'oseille, remplacez-la par du basilic.

▷ Ouvrez les tomates du côté de la queue. Enlevez les pépins avec une petite cuillère et essuyez les tomates avec du papier absorbant. Salez et poivrez l'intérieur.

Mélangez les feuilles de romaine, le fromage, les échalotes et l'oseille. Salez et poivrez.

Farcissez les tomates et mettez-les dans la cocotte. Couvrez et faites cuire à la vapeur au-dessus de l'eau bouillante pendant 6-8 minutes.

Servez immédiatement.

BETTERAVES À L'ORANGE

La couleur des betteraves rouges est du meilleur effet, par exemple pour décorer un plat.

12 petites betteraves
30 cl de jus d'orange
zeste de 1 orange en fines lamelles et blanchi pendant 20 secondes
2 cuillères à soupe de vinaigre de vin rouge
1 cuillère à café de miel
quartiers de citron et coriandre pour décorer

▷ Mettez les betteraves dans la cocotte. Couvrez et faites cuire à la vapeur au-dessus du jus d'orange bouillant mélangé avec la moitié du zeste blanchi, le vinaigre et le miel pendant 20 minutes. *Vérifiez régulièrement le niveau du lidique et ajoutez du jus d'orange bouillant si nécessaire.*

Laissez refroidir doucement les betteraves. Pendant ce temps, faites réduire la sauce jusqu'à ce qu'elle devienne sirupeuse. Épluchez les betteraves et coupez-les en rondelles. Disposez les rondelles dans les assiettes et nappez de sauce. Décorez avec le restant du zeste coupé en lamelles.

Servez chaud ou froid.

CHOU-FLEUR À LA SAUCE TOMATE

1 cuillère à soupe d'huile d'olive
2 échalotes hachées fin
2 gousses d'ail écrasées
2 boîtes de tomates dans leur jus (400 g)
25 g de sucre
2 cuillères à soupe de vinaigre à l'estragon
1 cuillère à soupe d'estragon frais haché
sel et poivre fraîchement moulu
1 gros chou-fleur
estragon frais haché

Ce plat peut être servi comme plat principal, accompagné d'une salade de haricots et de pain bis, ou mélangé avec des brocolis en bouquets.

▷ Faites chauffer l'huile dans une poêle et faites revenir les échalotes et l'ail pendant 2 minutes. Ajoutez les tomates, le sucre, le vinaigre et l'estragon. Salez et poivrez. Portez à ébullition et laisser mijoter pendant 2 minutes.

Lavez le chou-fleur et coupez-le en bouquets. Mettez-le dans un récipient, salez et poivrez. Versez la sauce. Couvrez avec du papier aluminium ou du papier sulfurisé maintenu en place avec un morceau de ficelle. Mettez le chou-fleur dans la cocotte ou dans un faitout couvert et rempli à mi-hauteur d'eau bouillante et faites cuire pendant 25 minutes. *Vérifiez régulièrement le niveau du liquide et ajoutez de l'eau bouillante si nécessaire.* Enlevez le papier et servez, saupoudré d'estragon haché.
Pour 4-6 personnes.

POIVRONS FARCIS

4 poivrons jaunes, verts ou rouges
sel et poivre fraîchement moulu
1 cuillère à soupe d'huile d'olive
50 g de lard fumé découenné et coupé en dés
4 ciboules épluchées et émincées
175 g de fèves écossées
100 g de brocolis en bouquets, coupés gros
100 g de fromage blanc
7 g de raifort frais râpé (utilisez 1/2 cuillère à café de sauce au raifort si nécessaire)
1 cuillère à soupe de persil haché

On trouve des poivrons toute l'année ; en hiver, ils peuvent être farcis avec d'autres légumes. Si vous voulez les servir comme plat principal, doublez les quantités et servez-les avec une salade légèrement assaisonnée.

▷ Coupez le haut des poivrons, enlevez les pépins et rincez sous l'eau froide. Salez et poivrez l'intérieur des poivrons. Faites chauffer l'huile dans une poêle. Faites revenir le lard et les ciboules pendant 3 minutes. Ajoutez les fèves et les brocolis et faites cuire pendant 2 minutes. Ajoutez le fromage blanc, le raifort et le persil. Salez et poivrez.

Versez le mélange dans les poivrons et mettez-les dans la cocotte. Couvrez et faites cuire à la vapeur au-dessus de l'eau bouillante pendant 10 minutes.

Disposez les poivrons entiers dans les assiettes préalablement chauffées ou bien ouvrez-les pour que l'on aperçoive la garniture. Servez immédiatement.

AVOCATS EN CHEMISE

Ce délicieux mélange d'avocat, de jambon fumé et de ciboules, enveloppé dans des feuilles de laitue et accompagné d'une sauce au citron, peut être servi en entrée ou bien accompagner du poisson ou du poulet. Vous pouvez supprimer la sauce.

8 feuilles de laitue
1 gros avocat coupé en lamelles
jus de 1 citron
2 tranches de jambon fumé coupé en lamelles
1 botte de ciboules coupées fin
sel et poivre fraîchement moulu
zeste de 1/4 de citron coupé en fines lamelles et blanchi pour décorer
Sauce au citron
3 jaunes d'œufs
3 cuillères à soupe de jus de citron
sel et poivre fraîchement moulu
100 g de beurre fondu

▷ Faites cuire à la vapeur les feuilles de laitue pendant 15-20 secondes. Faites-les refroidir dans de l'eau glacée.

Mélangez l'avocat, le jus de citron, le jambon et les ciboules dans un récipient. Salez et poivrez. Répartissez le mélange entre les feuilles de laitue et renfermez-les. Disposez-les côte à côte dans la cocotte. Couvrez et faites cuire à la vapeur pendant 5 minutes.

Pendant ce temps, préparez la sauce. Mettez les jaunes d'œufs et le jus de citron dans le mixeur. Salez, poivrez et mixez pendant quelques secondes. Pendant que l'appareil continue à tourner, ajoutez progressivement le beurre fondu jusqu'à ce que la sauce épaississe. Goûtez et rectifiez l'assaisonnement si nécessaire.

Versez la sauce dans quatre assiettes et disposez les feuilles de laitue pardessus. Décorez avec le zeste de citron et servez immédiatement.

PANAIS AU MIEL

8 petits panais épluchés
1 cuillère à soupe de miel liquide chaud
3 cuillères à soupe de graines de sésame grillées
sel et poivre fraîchement moulu
50 cl de bouillon de légume ou d'eau

▷ Badigeonnez les panais de miel, recouvrez-les de graines de sésame grillées, salez et poivrez.

Mettez les panais dans la cocotte et couvrez. Faites cuire à la vapeur au-dessus du bouillon ou de l'eau bouillante pendant 20 minutes ou jusqu'à ce que les panais soient tendres. Tenez au chaud ou servez immédiatement.

CONSEILS

▷ Originaires de l'Amérique tropicale, les avocats qui sont riches en éléments nutritifs sont cultivés aujourd'hui dans tous les pays chauds.

L'avocat est un fruit, mais il se mange souvent en entrée et se mélange très bien avec le pamplemousse ou la mangue, accompagné d'une bonne vinaigrette.

Si les avocats ne sont pas encore très mûrs lorsque vous les achetez, laissez-les mûrir pendant 2-3 jours dans un endroit chaud. Un avocat est mûr lorsque la peau est souple sous le doigt.

Les avocats ont tendance à noircir lorsqu'ils sont préparés d'avance. Il suffit de les arroser de jus de citron ou de jus d'un autre agrume pour qu'ils gardent leur couleur.

Pour couper un avocat en deux, fendez-le de haut en bas avec un couteau en contournant le noyau, puis séparez les deux moitiés et enlevez le noyau. Si vous voulez le couper en rondelles, épluchez chaque moitié et coupez-les en partant de la queue. Vous pouvez également laisser l'avocat entier, l'éplucher et le découper en rondelles en contournant le noyau.

RECETTES TRADITIONNELLES

La majorité des recettes figurant dans ce chapitre sont des recettes légères et diététiques ; les plats traditionnels ne sont pas forcément mauvais pour la santé, à condition de ne pas en abuser et de ne pas en manger tous les jours. Les puddings et les ragoûts nécessitent un long temps de cuisson. J'ai inclus dans ce livre tous ceux qui peuvent être cuits à la vapeur, même si les ragoûts sont le plus souvent cuits en cocotte. Là encore, vous n'aurez plus à vous battre avec de la viande filandreuse.

Canard à l'orange et au cinq-parfums (page 74)

GÂTEAU DE POULET

Ce plat un peu lourd nécessite un bon appétit.

- 350 g de farine à poudre levante tamisée
- une pincée de sel
- 175 g de gras de porc coupé en morceaux
- eau pour mélanger
- 1,25 kg de poulet désossé, coupé en petits morceaux
- 225 g de poitrine de porc salée, coupée en petits morceaux
- 2 petits oignons hachés fin
- 2 grosses pommes épluchées et coupées en morceaux
- 2 cuillères à soupe d'herbes fraîches hachées, persil, thym, ciboulette, estragon
- sel et poivre fraîchement moulu
- 3 cuillères à soupe de bouillon de poule ou d'eau

▷ Commencez par le gâteau. Mixez la farine, le sel et le gras de porc pendant quelques secondes. Ajoutez suffisamment d'eau pour obtenir une pâte molle. Ne mixez pas trop longtemps, sinon la pâte deviendrait dure.

Roulez la pâte de manière à obtenir une épaisseur de 1,5 cm. Beurrez un moule de 1,5 l et tapissez les bords avec la pâte, en en gardant assez pour le dessus.

Mélangez le poulet, le porc, les oignons, les pommes et les herbes, salez et poivrez. Emplissez le moule avec ce mélange en laissant libre un espace de 3 cm en haut. Ajoutez le bouillon de poule ou l'eau. Étalez le restant de pâte et couvrez-en le gâteau.

Couvrez avec du papier aluminium beurré ou du papier sulfurisé, maintenu en place avec un morceau de ficelle. Placez le moule dans une casserole d'eau bouillante (l'eau doit arriver à mi-hauteur du moule). Couvrez et faites cuire pendant 2 h 1/2. *Vérifiez régulièrement le niveau du liquide et ajoutez de l'eau bouillante si nécessaire.*

Enlevez le papier aluminium ou le papier sulfurisé et servez immédiatement.

COQ AU VIN

C'est l'un des plats français les plus réputés. Il peut paraître quelque peu étrange de cuire ce plat à la vapeur, mais le résultat est excellent.

- 1 poulet (1,5 kg) coupé en huit morceaux
- 15 g de farine
- sel et poivre fraîchement moulu
- 2 cuillères à soupe d'huile d'olive
- 150 g de lard maigre découenné et coupé en dés
- 2 gousses d'ail hachées fin
- 12 petits oignons
- 12 petits champignons
- 2 cuillères à soupe de cognac
- 15 cl de vin rouge
- 30 cl de bouillon de poule
- 1/4 de cuillère à café de thym frais haché
- 2 cuillères à soupe de persil haché
- croûtons triangulaires

▷ Passez les morceaux de poulet dans la farine, salez et poivrez. Faites chauffer l'huile dans une poêle à fond épais et faites dorer les morceaux de chaque côté à feu vif. Enlevez le poulet de la poêle. Faites revenir le lard, l'ail et les oignons pendant 2 minutes. Ajoutez les champignons et faites cuire encore 2 minutes. Remettez les morceaux de poulet dans la poêle, mais sans les faire chauffer. Faites chauffer le cognac dans une cuillère, faites-le flamber et versez-le sur le poulet. Dès que les flammes sont éteintes, ajoutez le vin et le bouillon. Portez à ébullition. Versez le contenu de la poêle dans un plat. Salez, poivrez et ajoutez le thym. Couvrez avec du papier aluminium, maintenu en place avec un morceau de ficelle.

Mettez le plat dans la cocotte ou dans un faitout couvert et rempli d'eau bouillante à mi-hauteur, et faites cuire pendant 45 minutes. Enlevez le papier aluminium. Versez le liquide de cuisson dans une casserole et faites-le bouillir jusqu'à ce qu'il devienne sirupeux. Versez la sauce sur le poulet et saupoudrez de persil haché. Disposez les croûtons sur le dessus et servez immédiatement.

POULET AU PERSIL

2 petits poulets (1 kg) ou 1 gros poulet (1,75 kg), avec les abattis mis de côté
sel et poivre fraîchement moulu
1 échalote coupée fin
2 petites carottes coupées gros
1 poireau coupé en rondelles
6 grains de poivre
1 feuille de laurier
30 cl de vin blanc
2 branches de persil
1,15 l d'eau

Sauce au persil
25 g de beurre
25 g de farine
30 cl de lait
4 cuillères à soupe de persil haché

Le persil était le principal ingrédient de la fameuse « sauce verte » médiévale, sauce aux herbes qui accompagnait le poulet ou le poisson.

Ce plat est léger et sera apprécié de tous.

Vous pouvez, si vous préférez, remplacer le persil par de l'estragon.

▷ Essuyez le (les) poulet(s), salez et poivrez. Mettez les abattis dans le compartiment inférieur de la cocotte avec les légumes, les grains de poivre, le laurier, le vin et le persil. Ajoutez l'eau. Portez à ébullition. Mettez les poulets dans le compartiment supérieur, couvrez et faites cuire doucement au-dessus du bouillon pendant 1 h 1/2. *Vérifiez régulièrement le niveau du liquide et ajoutez de l'eau bouillante si nécessaire.*

Une fois les poulets cuits, enlevez la peau et tenez au chaud. Passez le bouillon dans une poêle propre et enlevez les abattis et les légumes. Portez à ébullition et écumez.

Faites fondre le beurre à feu doux dans une casserole, incorporez la farine et faites cuire 2 minutes en remuant constamment. Enlevez du feu et ajoutez 30 cl de bouillon et le lait. Portez à ébullition et mélangez bien jusqu'à ce que la sauce épaississe. Ajoutez le persil, goûtez et rectifiez l'assaisonnement si nécessaire. Nappez le poulet de sauce ou bien servez la sauce séparément.

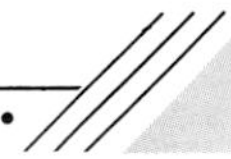

CONSEILS

▷ Pour désosser un poulet, mettez-le sur le ventre sur une surface propre. Avec un couteau pointu, incisez le dos en partant du croupion et détachez la chair de la carcasse. Gardez la peau entière. Veillez à ne pas rompre la peau en arrivant au bréchet. Pour ce faire, découpez un tout petit morceau d'os. Retournez le poulet et enlevez la chair de l'autre côté.

GALANTINE DE POULET AU CITRON

Le mot galantine désigne un mélange de viandes ou de volailles, cuites et servies froides dans leur gelée.

Demandez à votre boucher de désosser le poulet, mais gardez les os pour le bouillon. Pour la farce, vous pouvez utiliser d'autres ingrédients.

225 g de chair à saucisse
100 g de jambon cuit maigre, haché fin
1 gros oignon haché fin
8 feuilles de sauge hachées fin
zeste râpé et jus de 1 1/2 citron
1 œuf battu
sel et poivre fraîchement moulu
1 poulet (1,75 kg) désossé et essuyé
50 cl de bouillon de poule bouillant (page 36)

Garniture
rondelles de citron
feuilles de sauge fraîche

▷ Mettez la chair à saucisse, le jambon, l'oignon, la sauge, le zeste et le jus de citron et l'œuf dans une jatte et mélangez bien. Salez et poivrez. Mettez le poulet sur une planche, le côté de la peau en-dessous, salez et poivrez de chaque côté. Avec un couteau, étalez la farce sur le poulet en vous arrêtant à 1,5 cm du bord. Rabattez les bords du poulet sur la farce et refermez en cousant les bords avec de la ficelle fine. Mettez le poulet dans la cocotte.

Couvrez et faites cuire au dessus du bouillon de poule pendant 1 h 1/2 (vous pouvez également faire cuire le poulet au-dessus des ingrédients servant à faire le bouillon. Il vous faudra alors augmenter le temps de cuisson pour réduire le liquide destiné à la sauce). *Vérifiez régulièrement le niveau du liquide et ajoutez du bouillon si nécessaire.* Une fois cuit, pressez le poulet entre deux assiettes en plaçant un gros poids par-dessus. Laissez refroidir ainsi, puis enlevez la ficelle.

Pendant ce temps, passez le bouillon et faites-le réduire en le faisant bouillir rapidement. Laissez refroidir.

Disposez la garniture sur la galantine et nappez avec la sauce. Servez froid.

Pour 6 personnes.

POULET ROYAL

1 poulet (1,75 kg), sans les abattis
1 cuillère à café de jus de citron
sel et poivre fraîchement moulu
50 cl de bouillon de poule (page 36)
30 cl de mayonnaise
2 cuillères à café de confiture d'abricot, tamisée
1/2 cuillère à café de concentré de tomates
2 cuillères à café de curry
2 cuillères à café de fromage frais
lait
cresson pour décorer

Essuyez le poulet, salez, poivrez et arrosez de jus de citron. Mettez le poulet dans la cocotte. Couvrez et faites cuire au-dessus du bouillon pendant 1 h 1/2. *Vérifiez régulièrement le niveau du liquide et ajoutez du bouillon ou de l'eau bouillante si nécessaire.*

Pendant ce temps, préparez la sauce. Mélangez tous les ingrédients restants et ajoutez du lait en quantité suffisante pour obtenir une sauce onctueuse.

Désossez le poulet, laissez refroidir et mélangez avec la sauce, en en gardant un peu.

Disposez le poulet au milieu du plat de service et nappez avec le restant de sauce. Décorez de cresson. Vous pouvez servir ce plat avec une salade de riz.

Pour 4-6 personnes.

POUSSINS NAPPÉS D'UNE SAUCE AUX ŒUFS

Cette sauce, qui est un savant mélange d'œufs et de lait, accompagne aussi bien le poisson que le poulet.

▷ Essuyez les poussins, salez, poivrez et arrosez de jus de citron. Saupoudrez de ciboulette et mettez les poussins dans la cocotte. Couvrez et faites cuire au-dessus du bouillon de poule pendant 45 minutes.

Pendant ce temps, faites chauffer à feu doux le lait, le laurier, les grains de poivre blanc et la ciboulette pendant quelques minutes. Couvrez et laissez macérer pendant 15 minutes. Passez. Une fois les poussins cuits, mettez-les dans le plat de service préalablement chauffé et tenez au chaud. Faites fondre le beurre à feu doux, incorporez la farine et faites cuire pendant 3 minutes.

Mélangez le lait et le restant du bouillon dans un verre mesureur et, si nécessaire, ajoutez de l'eau pour obtenir 60 cl de liquide. A feu très doux, versez le liquide dans le beurre et la farine. Portez à ébullition et laissez mijoter pendant 3 minutes en remuant constamment jusqu'à ce que la sauce épaississe. Ajoutez les œufs hachés. Salez et poivrez.

Versez la sauce sur les poussins et décorez avec la ciboulette hachée ou bien servez la sauce séparément.

4 poussins (350 g)
sel et poivre blanc fraîchement moulu
2 cuillères à café de jus de citron
1 cuillère à soupe de ciboulette hachée
60 cl de bouillon de poule
ciboulette hachée pour décorer

Sauce aux œufs

30 cl de lait
1 feuille de laurier
4 grains de poivre blanc
2 cuillères à soupe de ciboulette hachée
25 g de beurre
25 g de farine
2 œufs durs hachés fin

JAMBON AUX POMMES

Faites tremper le jambon dans de l'eau froide pendant au moins 2 heures avant de le faire cuire, pour enlever le sel. Si vous n'avez pas le temps, couvrez le jambon avec de l'eau froide, portez à ébullition, égouttez et changez l'eau avant de faire cuire.

▷ Mettez les pommes de terre, le jambon, l'oignon, l'ail, les navets, les carottes et les pommes dans une jatte, salez, poivrez et ajoutez la sauge et le thym.

Versez le bouillon de manière à recouvrir le mélange. Couvrez la jatte avec du papier aluminium ou du papier sulfurisé, maintenu en place avec un morceau de ficelle. Mettez la jatte dans la cocotte ou dans un faitout couvert et rempli à mi-hauteur d'eau et faites cuire à la vapeur pendant 1 h 1/2. *Vérifiez régulièrement le niveau du liquide et ajoutez de l'eau bouillante si nécessaire.*

Enlevez le papier aluminium. Versez délicatement le liquide de cuisson dans une casserole, en laissant le jambon et les légumes dans la jatte. Tenez au chaud. Faites bouillir la sauce pour la réduire de moitié. Goûtez et rectifiez l'assaisonnement si nécessaire. Versez la sauce sur le jambon et décorez avec la sauge et le thym.

675 g de pommes de terre épluchées et coupées en rondelles épaisses
675 g de jambon coupé en petits morceaux, découenné et sans la graisse
1 gros oignon émincé
1 gousse d'ail écrasée
2 navets épluchés et coupés en quatre
2 carottes coupées en rondelles épaisses
3 petits pommes à cuire, pelées et coupées en rondelles épaisses
sel et poivre fraîchement moulu
1/2 cuillère à café de sauge fraîche hachée ou 1 pincée de sauge sèche
1/2 cuillère à café de thym frais haché ou 1 pincée de thym séché
30 cl de bouillon de poule
sauge et thym pour décorer

De haut en bas : *Poulet royal*
Galantine de poulet au citron (page 61)

RAGOÛT D'AGNEAU

2 morceaux de collet d'agneau coupés en côtelettes
sel et poivre fraîchement moulu
1 kg de pommes de terre épluchées et coupées en grosses rondelles
3 rognons d'agneau, sans peau, et coupés en quatre
4 petites carottes coupées en quatre
2 oignons émincés
225 g de champignons
1/2 cuillère à café de thym frais
2 cuillères à soupe de persil haché
30 cl de bouillon de bœuf ou de poule
persil haché pour décorer

A l'origine, ce plat se faisait avec du mouton et des huîtres, lesquels sont remplacés aujourd'hui par de l'agneau et des champignons. Grâce à la cuisson à la vapeur la viande ne se décompose pas et garde toute sa saveur. Comptez deux ou trois morceaux par personne.

▷ Enlevez le gras des côtelettes, salez et poivrez. Mettez au fond d'un grand récipient une couche de pommes de terre, salez et poivrez. Disposez les côtelettes et les rognons par-dessus. Ajoutez les carottes, les oignons et les champignons. Salez et poivrez à votre convenance et ajoutez le thym et le persil.

Recouvrez avec une couche de pommes de terre. Versez le bouillon. Couvrez avec une feuille de papier aluminium, maintenu en place avec un morceau de ficelle. Mettez le récipient dans la cocotte ou dans le faitout couvert et rempli d'eau bouillante à mi-hauteur et faites cuire pendant 2 heures. Vérifiez régulièrement le niveau du liquide et ajoutez de l'eau bouillante si nécessaire.

Enlevez le papier aluminium et saupoudrez de persil haché. Servez immédiatement.

PAIN DE VIANDE À L'ANCIENNE

450 g de bœuf à braiser, haché fin
350 g de lard maigre découenné et haché fin
100 g de foie d'agneau haché fin
1 oignon haché fin
50 g de mie de pain fraîche
2 œufs battus
2 cuillères à soupe de persil haché
une petite pincée de thym séché
2 cuillères à café de basilic frais haché
sel et poivre fraîchement moulu

Le pain de viande a été inventé au Moyen-Age pour calmer la faim des gros mangeurs. Vous devez acheter du bœuf à braiser maigre et le hacher finement vous-même, car, lorsqu'il est vendu haché, le bœuf est souvent trop gras et haché trop gros pour cette recette.

▷ Beurrez un moule à charlotte de 1 l. Mélangez tous les ingrédients dans un grand récipient. Salez et poivrez. Versez le mélange dans le moule. Couvrez avec une feuille de papier aluminium ou de papier sulfurisé, maintenu en place avec un morceau de ficelle.

Faites cuire doucement dans la cocotte ou dans un faitout couvert et rempli d'eau bouillante à mi-hauteur pendant 2 heures. *Vérifiez régulièrement le niveau du liquide et ajoutez de l'eau bouillante si nécessaire.* Mettez des poids sur le moule et laissez refroidir le pain de viande. Coupez-le en tranches et servez chaud ou froid.
Pour 4-6 personnes.

BŒUF EN CROÛTE

Cette recette ne se réalise pas dans une cocotte-vapeur, mais au four. Le principe reste pourtant le même, puisque la viande est cuite dans sa propre vapeur, retenue dans une pâte soigneusement close.

1,25 kg de filet de bœuf, paré
1 gousse d'ail, hachée fin
sel et poivre fraîchement moulu
25 g de beurre
2 échalotes hachées fin
2 cuillères à soupe de persil haché fin
350 g de pâte feuilletée
75 g de foie gras
1 œuf, battu

▷ Assaisonnez la viande avec ail, sel et poivre. Faites fondre le beurre dans une cocotte et faites dorer à feu vif, rapidement, la viande sur toutes ses faces. Mettez-la de côté et laissez-la refroidir. Dans la même cocotte faites fondre les échalotes avec ce qui reste de beurre, puis ajoutez le persil et coupez le feu.

Sur une surface farinée abaissez la pâte sur une épaisseur de 3 mm, pour pouvoir y envelopper complètement la viande.

Étalez le foie gras sur le dessus du filet. Déposez celui-ci sur la pâte, côté foie gras dessous. Étalez sur le dessus les échalotes, salez et poivrez abondamment. Repliez la pâte, badigeonnez les bords d'eau pour les sceller soigneusement. Retournez le tout, bords collés dessous, décorez avec les chutes de pâte et laissez reposer dans le réfrigérateur 30 minutes à 1 heure.

Dorez la pâte à l'œuf battu. Déposez-la sur une plaque à pâtisserie humide et faites cuire à four moyen (200 °C) pendant 20 minutes. La pâte doit être dorée et la viande rose et juteuse.

Pour 6 personnes.

PAUPIETTES DE BŒUF

25 g de beurre
1 gousse d'ail, écrasée
2 échalotes hachées fin
100 g de farce fine
50 g d'olives noires, dénoyautées et hachées gros
2 tranches fines de lard fumé, découennées et hachées
1 pincée de thym frais et de persil haché
sel et poivre fraîchement moulu
1 œuf, battu
4 tranches fines de bœuf
1 cuillère à soupe d'huile
1 oignon haché fin
2 carottes hachées fin
2 branches de céleri hachées fin
1 navet haché fin
50 cl de bouillon de bœuf
2 cuillères à café de concentré de tomates

▷ Faites chauffer le beurre dans une cocotte. Faites-y fondre, sans colorer, l'ail et les échalotes. Ajoutez la farce fine et laissez revenir 5 minutes. Ajoutez les olives, le lard et les herbes, salez et poivrez généreusement. Retirez le mélange du feu et ajoutez juste ce qu'il faut d'œuf pour lier.

Aplatissez chaque tranche de bœuf et assaisonnez-les. Répartissez sur chacune la farce. Roulez chaque tranche et ramenez les bords pour bien refermer les paupiettes. Attachez-les avec de la ficelle charcutière.

Chauffez l'huile dans une poêle et faites-y dorer régulièrement les paupiettes. Répartissez les légumes hachés dans le fond du panier de la cocotte-vapeur et posez dessus les paupiettes. Versez le bouillon dans le fond de la cocotte, amenez à ébullition et incorporez le concentré de tomates. Posez dessus le panier, couvrez et laissez cuire 1 h 30. *Vérifiez souvent le niveau du liquide, en ajoutant du bouillon chaud si nécessaire.*

Passez au mixeur le bouillon avec les légumes et versez cette sauce sur les paupiettes.

MAQUEREAUX À L'AIGRE-DOUCE

4 maquereaux, les filets lavés
1 cuillère à soupe d'huile
sel et poivre fraîchement moulu
jus de 1 citron
25 g de beurre
25 g de farine
30 cl de lait
2 cuillères à soupe de moutarde
1 cuillère à soupe de vinaigre de vin blanc
1 cuillère à café de miel
1 cuillère à soupe de persil haché
Pour décorer
branches de persil plat
tranches de citron, vert et jaune

▷ Posez les filets de maquereau sur du papier sulfurisé beurré et badigeonnez-les d'huile. Salez et poivrez généreusement, arrosez de jus de citron. Roulez les filets et refermez le papier, en attachant le tout avec de la ficelle. Faites cuire à la vapeur, dans le panier, sur de l'eau bouillante, pendant 20-25 minutes.

Pendant ce temps, faites fondre le beurre à feu doux, ajoutez la farine puis, progressivement, incorporez le lait, en tournant constamment. Quand la sauce arrive à ébullition, baissez le feu, ajoutez le reste des ingrédients, assaisonnez et laissez mijoter 2 minutes.

Sortez les filets du papier et posez-les sur un plat de service chaud. Ajoutez leur jus de cuisson dans la sauce, laissez frémir encore quelques minutes et versez sur les filets. Décorez avec le persil et les tranches de citron.

BŒUF BRAISÉ

Il s'agit là de l'une des plus anciennes méthodes de cuisson qui remonte aux temps préhistoriques. Choisissez un morceau de bœuf contenant peu de graisse, comme la gîte à la noix, et qui a besoin de cuire longtemps à feu doux.

- 2 cuillères à soupe d'huile d'olive
- 1,5 kg de gîte à la noix roulé et ficelé
- sel et poivre fraîchement moulu
- 90 cl de bouillon de bœuf
- 15 cl de vin rouge
- 2 oignons coupés en quatre
- 8 petites carottes
- 8 petits navets
- 1 petit rutabaga coupé en cubes
- 1 cuillère à café de thym frais haché ou 1/4 de cuillère à café de thym séché
- 4 gousses d'ail écrasées
- 450 g de champignons lavés

▷ Faites chauffer l'huile dans une poêle à fond épais. Salez et poivrez la viande et faites-la dorer de chaque côté. Mettez de côté. Versez le bouillon et le vin dans la même poêle. Portez à ébullition et grattez les dépôts accrochés au fond de la poêle. Versez dans une casserole propre et portez à ébullition.

Mettez les légumes, le thym et l'ail dans la cocotte, salez et poivrez. Disposez la viande par-dessus. Couvrez et faites cuire au-dessus du bouillon pendant 1 h 45. *Vérifiez régulièrement le niveau du liquide et ajoutez du bouillon si nécessaire.* Ajoutez les champignons et poursuivez la cuisson pendant encore 20 minutes. Mettez la viande dans un plat préalablement chauffé et disposez les légumes tout autour. Enlevez la casserole du feu et dégraissez le bouillon ; faites-le réduire en le faisant bouillir jusqu'à ce qu'il devienne sirupeux et servez séparément.

CŒURS D'AGNEAU FARCIS

4 petits cœurs d'agneau
50 g de chair à saucisse
50 g de lard fumé découenné
1/2 cuillère à café de sauge fraîche hachée
1 cuillère à soupe de persil haché
1/2 oignon haché fin
1 gousse d'ail écrasée
2 cuillères à café de concentré de tomates
1 jaune d'œuf battu
25 g de mie de pain fraîche
sel et poivre fraîchement moulu
15 g de farine
1 cuillère à soupe d'huile d'olive
45 cl de bouillon de bœuf ou d'agneau
sauge pour décorer

Essayez cette recette lors d'un dîner que vous souhaitez consistant et servez-la avec de la purée de pommes de terre. Achetez de préférence des cœurs d'agneau, car ils sont plus tendres. Vous pouvez également utiliser des cœurs de bœuf ou de veau.

Soyez patients, car le temps de cuisson est long.

▷ Faites tremper les cœurs dans de l'eau légèrement salée pendant 1 heure en changeant l'eau tous les quarts d'heure. Enlevez les lobes et la membrane blanche, ainsi que le sang restant à l'intérieur. Faites sécher les cœurs sur du papier absorbant.

Mettez la chair à saucisse, le lard, la sauge, le persil, l'oignon, l'ail, le concentré de tomates, l'œuf et la mie de pain dans le mixeur. Mélangez jusqu'à ce que tous les ingrédients soient hachés très fin. Remplissez chaque cœur avec la farce, refermez et maintenez avec une pique en bois. Salez et poivrez la farine et roulez les cœurs dedans. Faites chauffer l'huile dans une poêle à fond épais et faites dorer les cœurs de chaque côté. Mettez-les ensuite dans un moule. Versez le bouillon dans la même poêle, portez à ébullition, en grattant les dépôts accrochés au fond. Versez le bouillon sur les cœurs. Couvrez avec du papier aluminium ou du papier sulfurisé, maintenu en place avec un morceau de ficelle. Faites cuire à feu doux dans la cocotte ou dans un faitout rempli d'eau à mi-hauteur pendant 2-2 1/2 h. *Vérifiez régulièrement le niveau du liquide et ajoutez de l'eau si nécessaire.*

Enlevez le papier aluminium et disposez les cœurs sur le plat de service préalablement chauffé. Tenez au chaud. Versez le bouillon dans une casserole propre et faites-le réduire en le faisant bouillir jusqu'à ce qu'il devienne sirupeux. Versez la sauce sur les cœurs et décorez avec la sauge.

CONSEILS

▷ La réputation des abats a considérablement varié au cours des âges, mais il est reconnu aujourd'hui qu'ils ont un rôle bénéfique pour la santé.

Les abats peuvent être délicieux, lorsqu'ils sont bien préparés et bien cuits. Ils sont pauvres en matières grasses et riches en vitamines et en minéraux ; ce sont donc des aliments très sains qui méritent de faire partie de votre alimentation.

Malheureusement la préparation des abats dégoûte beaucoup de gens. Le plus souvent, c'est parce qu'ils ne savent très bien comment s'y prendre. Voici donc quelques conseils pour vous aider.

Le cœur a besoin de cuire longtemps. Une fois que la graisse externe, les membranes et les nerfs ont été enlevés, le cœur doit être rincé et séché.

La langue s'achète soit fraîche, soit marinée dans de la saumure. Avant de la faire cuire, faites-la tremper pendant plusieurs heures dans l'eau froide si elle est marinée ou dans de la saumure si elle est fraîche. Enlevez la peau, le cornet, le gras et le cartilage. La langue peut être servie chaude ou froide ; elle est alors enroulée sur elle-même et comprimée.

La queue de bœuf est excellente et ne nécessite qu'un minimum de préparation, car elle est généralement vendue déjà coupée et toute préparée. Après avoir enlevé le gras, faites-la cuire longtemps pour qu'elle devienne tendre et savoureuse.

RAGOÛT DE QUEUE DE BŒUF

Comme toutes les autres parties du bœuf, la queue doit cuire très lentement, mais le résultat en vaut la peine. Elle est bon marché et est généralement vendue toute prête et déjà coupée.

- 2 cuillères à soupe d'huile
- sel et poivre fraîchement moulu
- 15 g de farine
- 1 queue de bœuf moyenne, coupée en morceaux
- 2 oignons moyens émincés
- 4 carottes coupées en fines rondelles
- 2 poireaux coupés en rondelles
- 2 gousses d'ail écrasées
- 2 gros navets hachés gros
- une pincée de thym séché
- 2 feuilles de laurier
- une pincée de sauge séchée
- une petite pincée de clous de girofle en poudre
- 50 cl de bouillon de bœuf
- 2 cuillères à soupe de persil haché pour décorer

▷ Faites chauffer l'huile dans une poêle à fond épais. Salez et poivrez la farine et roulez la queue de bœuf dedans. Faites-la dorer à feu vif de chaque côté, puis mettez-la dans un moule à charlotte. Faites revenir les légumes pendant 5 minutes. Versez-les sur la viande. Ajoutez les herbes et les clous de girofle. Salez et poivrez abondamment.

Versez le bouillon dans la poêle. Portez à ébullition en grattant les dépôts accrochés au fond. Versez le bouillon sur la viande et les légumes. Couvrez avec du papier aluminium ou du papier sulfurisé, maintenu en place avec un morceau de ficelle. Mettez le moule dans la cocotte ou dans un faitout couvert et rempli d'eau bouillante à mi-hauteur et faites cuire pendant 3 1/2 h. *Vérifiez régulièrement le niveau du liquide et ajoutez de l'eau bouillante si nécessaire.*

Disposez la queue de bœuf sur le plat de service et tenez au chaud. Mixez les légumes et le bouillon. Versez le mélange sur la queue de bœuf, saupoudrez de persil haché et servez immédiatement.

LANGUE DE BŒUF

Pendant longtemps, la langue de bœuf était le seul abat que l'on osait servir. La langue peut être servie chaude dans son jus naturel avec une sauce à la tomate ou à la moutarde ou froide, enroulée sur elle-même, avec de la gelée et une salade. Normalement la langue se fait bouillir. Le bouillon qui en résulte est fade et gras et n'est généralement pas utilisé. Le seul moyen pour conserver tous les éléments nutritifs de la langue fraîche sans la faire bouillir est de la faire cuire doucement à la vapeur.

- 1 langue de bœuf (1,5-1,6 kg)
- sel et poivre fraîchement moulu
- 2 cuillères à soupe d'herbes fraîches hachées, thym, persil, cerfeuil, sauge
- 1 grosse carotte coupée en bâtonnets
- 1 gros oignon émincé
- 2 petits navets coupés en rondelles
- 1 l de bouillon de bœuf
- 15 g de gélatine

▷ Faites tremper la langue dans de l'eau froide pendant 2 heures. Égouttez, salez et poivrez. Saupoudrez d'herbes fraîches. Mettez les légumes dans la cocotte et disposez la langue par-dessus. Couvrez et faites cuire à la vapeur au-dessus du bouillon pendant 3 heures. *Vérifiez régulièrement le niveau du liquide et ajoutez du bouillon si nécessaire.*

Une fois la langue cuite, mettez-la sur une planche et enlevez la peau et le cornet. Enlevez les légumes. Servez chaud avec une sauce à la moutarde. Si vous voulez servir la langue froide, enroulez-la dans un grand moule à cake ou dans un plat à soufflé. Préparez 60 cl de bouillon en ajoutant éventuellement de l'eau ou du bouillon et faites-y dissoudre la gélatine. Versez le mélange sur la langue. Couvrez avec du papier aluminium et mettez un gros poids par-dessus.

Laissez la langue au réfrigérateur toute la nuit. Démoulez et coupez la langue en tranches fines. Servez avec une salade.

CHEVREUIL À L'ANCIENNE

Cette recette vieille de deux siècles et demi était faite à l'origine avec une selle de chevreuil que l'on faisait mariner pendant plusieurs jours avant de la braiser dans du vin rouge et que l'on servait avec des châtaignes.

J'ai simplement remplacé la selle de chevreuil qui ne tient pas dans la cocotte à vapeur par des steaks de chevreuil !

- 4 steaks de chevreuil (275 g)
- sel et poivre fraîchement moulu
- 1 oignon coupé fin
- 1 carotte coupée fin
- 30 cl de vin rouge
- thym
- 2 feuilles de laurier
- 1 gousse d'ail écrasée
- grains de poivre noir
- 2 baies de genièvre écrasées
- 2 cuillères à soupe d'huile d'olive
- 25 g de beurre
- 12 petits oignons
- 12 petits champignons
- 1 boîte (200 g) de châtaignes entières
- 15 cl de porto
- 1 cuillère à café de gelée de groseilles
- persil et thym pour décorer

▷ Salez et poivrez les steaks de chevreuil. Mettez-les dans un plat avec l'oignon, la carotte, le vin rouge, le thym, les feuilles de laurier, l'ail, les grains de poivre, les baies de genièvre et la moitié de l'huile.

Laissez mariner pendant au moins 24 heures en mélangeant de temps en temps. Plus la viande aura mariné longtemps, meilleure elle sera. Mettez de côté la marinade et faites sécher les steaks de chevreuil sur du papier absorbant. Découpez une feuille de papier aluminium suffisamment grande pour y envelopper tous les ingrédients.

Faites chauffer le beurre et le restant d'huile dans une poêle à fond épais. Faites dorer les steaks à feu vif de chaque côté, ajoutez les oignons, les champignons et les châtaignes et faites-les revenir pendant 3 minutes.

Mettez les légumes et les steaks au milieu du papier aluminium et repliez les bords pour que le jus ne s'échappe pas. Faites réduire de moitié le jus de la marinade en le portant à ébullition et passez la sauce au-dessus des steaks de chevreuil. Ajoutez le porto et la gelée de groseilles. Salez et poivrez. Refermez la feuille d'aluminium. Faites cuire doucement au-dessus de l'eau bouillante pendant 45 minutes. *Vérifiez régulièrement le niveau du liquide et ajoutez de l'eau si nécessaire.*

Disposez les steaks de chevreuil et les légumes sur les assiettes préalablement chauffées et tenez au chaud. Faites réduire la sauce en la faisant bouillir jusqu'à ce qu'elle devienne sirupeuse. Versez-la dans les assiettes et décorez avec du persil et du thym.

De haut en bas : *Langue de bœuf (page 69)*
Chevreuil à l'ancienne

COURGE FARCIE

225 g de bœuf maigre haché
1 oignon haché fin
1 gousse d'ail hachée fin
1 poivron vert haché fin
15 cl de bouillon de bœuf
3 cuillères à soupe de vin rouge
1 cuillère à soupe de concentré de tomates
2 cuillères à café de basilic
1 cuillère à soupe de persil haché
sel et poivre fraîchement moulu
1 courge épluchée, épépinée et coupée en deux dans le sens de la longueur
50 g de fromage râpé

Choisissez une jeune courge, ne dépassant pas 30 cm de long. Évitez les trop grosses courges qui ont la peau dure et dont la chair est moins fine.

Pour la farce, vous pouvez utiliser d'autres ingrédients que ceux indiqués ci-dessous.

▷ Faites chauffer une poêle et faites dorer la viande hachée, l'oignon, l'ail et le poivron vert. Ajoutez le bouillon, le vin, le concentré de tomates, le basilic et le persil. Salez et poivrez abondamment.

Portez à ébullition et laissez mijoter pendant 10 minutes. Découpez une feuille de papier aluminium suffisamment grande pour envelopper la courge. Salez et poivrez l'intérieur de la courge et farcissez-la avec le mélange. Refermez complètement la feuille de papier aluminium. Mettez-la dans la cocotte, couvrez et faites cuire au-dessus de l'eau bouillante pendant 20 minutes. *Vérifiez régulièrement le niveau du liquide et ajoutez de l'eau si nécessaire.* Enlevez le papier aluminium et posez la courge farcie sur le plat de service préalablement chauffé, saupoudrez de fromage râpé et servez immédiatement.

ORTIES À LA VAPEUR

675 g de feuilles de jeunes orties, sans les queues
jus de 1 citron
sel et poivre fraîchement moulu
25 g de beurre

Avec la vogue de la diététique, la cuisine moderne redécouvre de vieilles recettes, comme celle-ci. Mettez des gants pour préparer les orties. Par leur goût, elles rappellent les épinards ; elles sont à la fois nourrissantes et savoureuses, et accompagnent de manière originale la viande, le poisson et le poulet.

La salicorne, qui pousse en haut des falaises, le long des côtes rocheuses et dans les terrains marécageux, est un autre légume peu connu. Si vous avez la chance d'en trouver, faites-les cuire comme les orties, en omettant le sel. On l'appelle aussi christe-marine, perce-pierre ou passe-pierre.

▷ Lavez les orties et enlevez les vieilles feuilles.

Mettez-les dans la cocotte. Salez, poivrez et arrosez de jus de citron. Couvrez et faites cuire au-dessus de l'eau bouillante pendant 10 minutes.

Faites fondre le beurre dans une poêle. Ajoutez les orties et retournez-les pour les enrober complètement de beurre. Servez immédiatement.

LAPIN À LA MOUTARDE

1 cuillère à soupe d'huile
1 lapin coupé en morceaux (6 à 8)
15 g de beurre
1 grosse gousse d'ail, écrasée
1 oignon haché fin
2 cuillères à soupe de moutarde forte
2 cuillères à café de concentré de tomates
sel et poivre fraîchement moulu
700 g de tomates, pelées et émincées
50 cl de bouillon de poule
1 pincée de thym
5 cl de vin blanc sec

▷ Chauffez l'huile dans une cocotte et faites-y dorer rapidement les morceaux de lapin. Retirez-les et mettez-les de côté. Faites fondre le beurre dans la même cocotte et faites revenir doucement, sans colorer, l'ail et l'oignon. Ajoutez la moutarde et le concentré de tomates. Salez et poivrez généreusement. Tartinez les morceaux de lapin de ce mélange.

Répartissez les tranches de tomates dans le panier de votre cocotte, posez les morceaux de lapin dessus. Dans la cocotte, amenez le bouillon à ébullition, avec le thym et le vin blanc. Posez le panier dessus, fermez et laissez cuire 45 minutes. *Vérifiez le niveau du liquide toutes les 15 minutes et ajoutez du bouillon chaud si nécessaire.*

Passez le bouillon et les tomates au mixeur et versez cette sauce sur le lapin. Servez immédiatement.

Pour 5-6 personnes.

CANARD À L'ORANGE ET AU CINQ-PARFUMS

1 caneton (1,3 kg environ)
sel et poivre fraîchement moulu
cinq-parfums
2 gousses d'ail pelées
10 ciboules hachées
1 bouquet de persil
1 orange coupée en rondelles
50 cl de bouillon de poule (ou d'eau)
jus de 1 orange
cresson pour décorer

▷ À l'intérieur du caneton mettez sel, poivre, 2 ou 3 pincées de cinq-parfums et les 2 gousses d'ail entières. Ficelez-le.

Répartissez les ciboules hachées dans le fond du panier de la cocotte-vapeur. Posez dessus le caneton. Ajoutez sel, poivre et cinq-parfums sur l'extérieur du caneton. Posez autour le bouquet de persil et les tranches d'orange. Versez dans le fond de la cocotte le bouillon et le jus d'orange, amenez à ébullition. Installez alors le panier, couvrez et laissez cuire 30 à 45 minutes. *Vérifiez régulièrement le niveau du liquide et ajoutez du bouillon chaud si nécessaire.*

Quand le caneton est cuit (la chair aux jointures des cuisses doit être tendre), posez-le dans un plat à four huilé avec les ciboules. Réservez les rondelles d'orange. Mettez le plat 5 à 10 minutes à four chaud (300 °C), puis 5 minutes sous le gril, pour que le caneton soit bien doré des deux côtés.

Pendant ce temps, faites réduire la sauce dans une poêle, en la versant petit à petit. Servez le caneton sur son plat, décoré avec les rondelles d'orange et le cresson, la sauce à part en saucière.

GÂTEAU CANARI

100 g de beurre
100 g de sucre
2 œufs, battus
100 g de farine
1 cuillère à café de levure chimique
1 pincée de sel
écorce et jus de 2 citrons
50 g de gingembre confit, haché fin

▷ Beurrez les côtés d'un moule rond et recouvrez le fond de papier sulfurisé.

Travaillez le sucre et le beurre jusqu'à ce que le mélange devienne léger et mousseux. Incorporez petit à petit les œufs, en fouettant bien entre chaque cuillère. Incorporez ensuite la farine, la levure, le sel, l'écorce et le jus des citrons, puis le gingembre. Ajoutez un peu de lait si le mélange est trop consistant : il doit rester souple. Versez-le dans le moule. Couvrez avec une double couche de papier sulfurisé attaché avec une ficelle. Faites cuire à couvert 1 h 30 au-dessus d'une eau bouillante. *Vérifiez le niveau du liquide toutes les 15 minutes et ajoutez de l'eau bouillante si nécessaire.*

Démoulez le gâteau sur un plat de service et servez chaud avec de la crème fouettée.

GÂTEAU AUX POMMES

100 g de farine à poudre levante tamisée
100 g de chapelure
une pincée de sel
100 g de saindoux
eau pour mélanger
700 g de pommes épluchées et évidées
zeste râpé de 1 citron
zeste râpé de 1 orange
1 cuillère à café de cannelle
1 1/2 cuillère à café de sucre roux
1/4 de cuillère à café de clous de girofle en poudre

Pour ce que ce délicieux gâteau ne soit pas trop lourd, j'ai remplacé la moitié de la farine par la même quantité de chapelure.

Vous pouvez remplacer les pommes par n'importe quel fruit de saison frais : prunes, groseilles à maquereau, rhubarbe, framboises, cerises... Servez le gâteau avec de la glace ou de la crème anglaise.

▷ Beurrez un moule à charlotte de 1 l.

Mettez la farine, la chapelure et le sel dans un récipient. Incorporez le saindoux avec les doigts jusqu'à ce que le mélange ressemble à des miettes de pain. Ajoutez de l'eau et mélangez avec un couteau jusqu'à obtention d'une pâte molle, mais non collante.

Divisez la pâte en quatre et roulez-la de manière à obtenir quatre ronds de taille différente correspondant aux dimensions du moule. Mettez le rond le plus petit au fond du moule.

Coupez en rondelles le tiers des pommes et mettez-les dans le moule avec un tiers du zeste de citron et d'orange, la cannelle, le sucre et les clous de girofle. Répétez la même opération jusqu'à ce que toute la pâte et tous les fruits aient été utilisés.

Couvrez avec du papier d'aluminium beurré, maintenu en place avec un morceau de ficelle. Faites cuire à la vapeur pendant 2 1/2 h. *Vérifiez régulièrement le niveau du liquide et ajoutez de l'eau bouillante si nécessaire.*

Enlevez le papier aluminium, décollez les bords avec un couteau et démoulez le gâteau sur le plat de service préalablement chauffé.

GÂTEAU D'ÈVE

▷ Beurrez un moule à gâteau de 1,5 litre.

Travaillez ensemble la chapelure et le saindoux. Ajoutez les pommes, les raisins secs, le sucre et la muscade. Incorporez les œufs et fouettez pour que tout se mélange bien.

Versez cette préparation dans le moule beurré, couvrez avec une double feuille de papier paraffiné et attachez avec une ficelle. Faites cuire à la vapeur, le moule posé sur une soucoupe renversée dans une casserole à demi-pleine d'eau, pendant 2 heures. *Vérifiez souvent le niveau du liquide et ajoutez de l'eau bouillante si nécessaire.*

Démoulez sur un plat de service chaud.

Pour 6 personnes.

225 g de chapelure
225 g de saindoux ou de margarine végétale
225 g de pommes, pelées, évidées et émincées
225 g de raisins secs
50 g de sucre
1 pincée de noix de muscade râpée
3 œufs, légèrement battus

GÂTEAU AUX ORANGES

▷ Beurrez un moule à gâteau de 1,5 litre.

Battez le beurre et le sucre jusqu'à ce qu'ils deviennent pâles et crémeux. Incorporez le zeste et les œufs, progressivement, en continuant de battre. Incorporez la farine avec une cuillère métallique.

Étalez la marmelade au fond d'un moule et recouvrez avec la pâte du gâteau. Couvrez avec une double feuille de papier paraffiné, maintenu par une ficelle. Faites cuire à la vapeur, le moule posé sur un trépied ou une soucoupe retournée dans une casserole à demi-pleine d'eau, pendant 1 h 30 ou 2 heures. *Vérifiez fréquemment le niveau du liquide et ajoutez de l'eau bouillante si nécessaire.*

Démoulez et servez immédiatement.

100 g de beurre ramolli
100 g de sucre roux
zeste râpé de 1 orange
2 œufs, légèrement battus
175 g de farine levante
2 cuillères à soupe de marmelade d'oranges amères

RECETTES ÉTRANGÈRES

Dans ce chapitre figurent quelques-unes des meilleures recettes étrangères. Elles vous donneront un goût d'exotisme et vous permettront de goûter des aliments extrêmement variés. N'hésitez pas à essayer les spécialités orientales, comme les dim sum, le bar accompagné de haricots noirs fermentés et de gingembre frais et les curries parfumés aux épices. Goûtez les plats méditerranéens si joliment colorés, le poulet des Caraïbes servi avec des patates douces, du potiron et du plantain. Établissez soigneusement votre menu, en ne prévoyant jamais plus d'un plat riche et nourrissant par repas, et n'oubliez pas que les aliments cuits à la vapeur conservent tous leurs éléments nutritifs et toute leur saveur. Vous pouvez remplacer la crème fraîche par du fromage blanc, du fromage frais ou du yogourt, si vous voulez réduire le nombre de calories.

Dim sum aux champignons (ci-contre)

DIM SUM AU CURRY

Le mot cantonnais « dim sum » signifie « manger un en cas pour le plaisir » ou « commandez ce qui vous fait plaisir ». Les dim sum sont de petits pâtés qui se mangent à n'importe quel moment de la journée et qui, servis avec du thé, constituent souvent un déjeuner léger et bon marché. Dans la plupart des restaurants, ils ne figurent pas au menu, mais les serveurs circulent entre les tables avec des chariots remplis de douzaines de dim sum différents et chacun choisit ce qui lui plaît.

Les dim sum peuvent être servis aigres-doux, sucrés, salés ou épicés ; ils sont souvent cuits dans la fameuse cocotte chinoise en bambou.

Je vous indique ici la recette de quelques-uns des dim sum les plus courants.

225 g de riz gluant, lavé et ayant trempé dans l'eau pendant 2 heures
225 g de porc haché
5 châtaignes d'eau coupées en morceaux
1 1/2 cuillère de sauce au soja
sel et poivre fraîchement moulu
1 cuillère à café de curry en poudre

▷ Après avoir fait tremper le riz, lavez-le encore une fois et égouttez-le soigneusement. Mettez le porc et les châtaignes dans le mixeur ; les ingrédients doivent être bien hachés. Ajoutez la sauce au soja, le sel, le poivre et le curry.

Avec le mélange, faites de petites boulettes et roulez-les dans le riz de manière à bien les enrober. Disposez-les sur une feuille de papier sulfurisé humide dans la cocotte en laissant un petit espace entre chaque boulette pour qu'elles puissent gonfler. Couvrez et faites cuire au-dessus de l'eau bouillante pendant 30 minutes.

DIM SUM AUX CHAMPIGNONS

Choisissez n'importe quelle variété de champignons déshydratés — même les japonais conviennent. Ces dim sum sont cuits à la vapeur dans une fine couche de pâte. La recette ci-dessous vous explique comment faire la pâte, mais vous pouvez l'acheter toute faite dans la plupart des boutiques d'alimentation chinoises et la conserver 10 jours au réfrigérateur.

225 g de farine
1 œuf
1-2 cuillères à café d'eau
450 g de porc
350 g de crevettes décortiquées (crues si possible)
4 champignons chinois déshydratés, ayant trempé dans l'eau pendant 20 minutes et rincés
1 oignon haché fin
2 cuillères à soupe de sauce au soja
1 cuillère à café d'huile de sésame
sel et poivre fraîchement moulu

▷ Mettez la farine et l'œuf dans le mixeur. Ajoutez un peu d'eau et mixez jusqu'à obtention d'une pâte molle. Étendez la pâte au rouleau sur une planche farinée jusqu'à ce que la pâte ait l'épaisseur d'une feuille de papier. Coupez dans la pâte des carrés de 8 cm de côté.

Hachez le porc, les trois quarts des crevettes, les champignons et l'oignon et ajoutez la sauce au soja et l'huile. Salez et poivrez.

Mettez une cuillère à café du mélange au milieu de chaque carré, rabattez les bords et fermez. Décorez chaque pâté avec une crevette. Mettez les pâtés dans une cocotte à plusieurs étages ou, si vous n'en avez pas, faites-les cuire en plusieurs temps. Couvrez et faites cuire au-dessus de l'eau bouillante pendant 25 minutes.

Servez chaud ou froid avec de la sauce au soja.

Proportions pour 30 pièces.

BUNS AU POULET

- 450 g de farine à poudre levante
- 100 g de sucre
- 25 cl d'eau chaude ou de lait
- 25 g de saindoux
- 8 champignons déshydratés, ayant trempé dans l'eau pendant 25 minutes, rincés et coupés en rondelles
- 225 g de poulet désossé, cuit et coupé fin
- 1 cuillère à soupe de sauce aux huîtres
- 1 cuillère à soupe de sauce hoisin
- une petite pincée de cinq-parfums chinois
- 1 petit oignon haché fin
- 2 piments épépinés et hachés fin
- sel et poivre fraîchement moulu
- 1 cuillère à soupe d'huile de sésame ou d'huile végétale
- 15 cl de bouillon de poule
- 2 cuillères à café de maïzena
- 12 carrés de papier sulfurisé

Les Chinois ont différentes variétés de farine que l'on ne trouve pas toujours chez nous. Pour cette recette, j'utilise de la farine à poudre levante et le résultat ressemble de très près aux vrais buns chinois. Bien que le mélange contienne un peu de sucre, les buns peuvent être remplis avec des garnitures aussi bien sucrées que salées. Les buns au bœuf cuits à la vapeur sont une spécialité de Hong Kong. La sauce hoisin est faite avec du soja, des prunes séchées et de l'ail, tandis que la sauce aux huîtres qui s'utilise très fréquemment dans la cuisine chinoise se compose de sauce au soja, de saumure et d'huîtres. Le cinq-parfums est composé de badiane, de poivre, de fenouil, de girofle et de cannelle.

▷ Mélangez la farine, le sucre, le lait ou l'eau et le saindoux de manière à obtenir une pâte lisse. Couvrez avec un torchon humide et laissez reposer dans un endroit chaud pendant au moins 1 heure. Mélangez les champignons, le poulet, la sauce aux huîtres, la sauce hoisin, le cinq-parfums, l'oignon et les piments dans un récipient. Salez et poivrez.

Faites chauffer le wok ou une poêle profonde. Ajoutez l'huile. Lorsque l'huile est chaude, faites revenir le mélange pendant 3 minutes. Mélangez le bouillon avec la maïzena et versez-le sur le poulet. Remuez jusqu'à ce que le mélange épaississe. Laissez refroidir.

La pâte doit avoir légèrement levé. Pétrissez-la sur une surface légèrement farinée, puis étendez-la au rouleau de manière à obtenir une « saucisse » de 45,5 cm × 5 cm. Coupez-la en 12 morceaux égaux ; étendez au rouleau chaque morceau de manière à obtenir un rond de 13 cm de diamètre.

Mettez une cuillère bien pleine du mélange au milieu de chaque rond de pâte. Relevez les bords, entortillez-les et appuyez pour bien fermer. Placez chaque bun sur un morceau de papier sulfurisé et mettez-les dans la cocotte. Couvrez et faites cuire au-dessus de l'eau bouillante pendant 15 minutes.

BOULETTES DE LÉGUMES

- 225 g de farine à poudre levante tamisée
- sel et poivre fraîchement moulu
- eau froide pour mélanger
- 100 g de carottes coupées fin
- 4 ciboules épluchées et hachées fin
- 2 branches de céleri hachées fin
- 15 g de gingembre frais épluché et râpé
- 1 gousse d'ail écrasée
- 100 g de pousses de bambou en boîte, égouttées et coupées fin

Ces boulettes sont délicieuses juste cuites à la vapeur. Une fois cuites, vous pouvez également les faire dorer et les servir aussitôt, après les avoir salées.

▷ Mettez la farine et une pincée de sel dans un récipient. Ajoutez de l'eau froide et mélangez pour obtenir une pâte ferme. Étendez la pâte au rouleau en formant une « saucisse » de 5 cm de diamètre. Coupez-la en 12 morceaux égaux ; étalez chaque morceau de manière à obtenir 12 ronds de 7,5 cm de diamètre. Mélangez les carottes, les ciboules, le céleri, le gingembre, l'ail et les pousses de bambou dans un récipient. Salez et poivrez abondamment.

Mettez 1 cuillère à café du mélange au milieu de chaque rond. Relevez les bords et appuyez pour bien fermer. Mettez les boulettes dans la cocotte. Couvrez et faites cuire au-dessus de l'eau bouillante pendant 25 minutes.

CRÊPES CHINOISES

Bien que ces crêpes ne soient pas cuites, mais simplement réchauffées à la vapeur, cette recette figure dans ce chapitre, car les crêpes jouent un rôle important dans la cuisine en général. Réchauffées au four, elles se dessécheraient immédiatement. Vous pouvez en faire en grandes quantités, car les crêpes se congèlent très bien. N'oubliez pas de les décongeler correctement avant de les utiliser. Ces crêpes accompagnent traditionnellement le canard de Pékin et sont faites avec de la farine de blé, et non de riz.

150 g de farine chaude
une pincée de sel
10 cl d'eau bouillante
1 cuillère à soupe d'huile de sésame ou d'arachide

▷ Mettez la farine et le sel dans un récipient et ajoutez progressivement l'eau bouillante. Mélangez avec un couteau et ajoutez de l'eau si le mélange semble trop sec. Pétrissez la pâte sur une planche farinée jusqu'à ce qu'elle soit lisse ; couvrez et laissez reposer à température ambiante pendant 40 minutes. Pétrissez à nouveau la pâte en ajoutant un peu de farine si elle colle trop. Étendez-la en formant une « saucisse » de 23 cm de long et 2 cm de diamètre. Coupez-la en 10 morceaux égaux ; avec chaque morceau faites une petite boule.

Roulez les boules deux par deux en plongeant l'une des deux boules dans l'huile et en mettant le bord huilé sur l'autre boule. Étendez cette double boule au rouleau de manière à obtenir un rond de 15 cm de diamètre.

Faites chauffer l'huile dans une poêle et faites cuire la double crêpe. Retournez-la et faites cuire l'autre côté. Faites cuire ainsi toutes les crêpes.

Avant de servir, réchauffez les crêpes à la vapeur pendant 7 minutes.

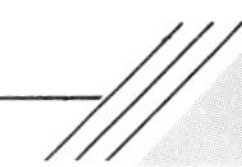

CONSEILS

▷ Certains des ingrédients utilisés dans les recettes chinoises vous sont peut-être inconnus ; voici donc quelques informations qui complètent le glossaire figurant page 121.

Pousses de bambou : On les trouve en boîtes, conservées dans de l'eau ou de la saumure. Les pousses de bambou peuvent être conservées au réfrigérateur dans l'eau froide et dans un récipient bien fermé pendant 1-2 semaines, à condition de changer l'eau tous les jours.

Champignons chinois déshydratés : Ces champignons que l'on trouve dans les supermarchés orientaux doivent être mis à tremper dans l'eau avant d'être utilisés. Ils ont un goût particulier et sont relativement nourrissants.

Riz gluant : C'est une variété de riz blanc opaque à grains courts qui devient collant une fois cuit. On peut s'en procurer dans les magasins d'alimentation orientaux ou exotiques.

Huile d'arachide : Huile faite avec de l'arachide et que les Chinois utilisent beaucoup ; pour la parfumer, ils font parfois revenir de l'ail ou quelques rondelles de gingembre frais dans l'huile.

Vin de riz : Il est utilisé avec le porc et le poulet et pour relever le goût de nombreux plats. Le vin blanc sec le remplace très bien si vous ne pouvez pas vous en procurer.

Huile de sésame : Couramment utilisée dans la cuisine chinoise, l'huile de sésame est plus ou moins forte selon sa couleur et sa densité. N'utilisez pas la variété très noire. L'huile de sésame se trouve dans les magasins d'alimentation orientaux.

Sauce au soja : La sauce au soja, faite avec du soja fermenté, est un condiment aussi souvent utilisé par un Chinois que le sel par un Occidental. Elle est généralement noire et très épicée ; il existe toutefois une sauce moins forte — mais très salée — que l'on trouve dans les supermarchés et dans les magasins spécialisés.

Châtaignes d'eau : Châtaignes rondes et blanches, croquantes. S'achètent en boîtes dans les supermarchés et les magasins spécialisés.

CÔTES DE PORC À LA CHINOISE

1 kg de côtes de porc découvertes, séparées et coupées en morceaux de 5 cm de long
sel et poivre fraîchement moulu
15 cl de bouillon de porc ou de poule
2 cuillères à soupe de sauce au soja
15 g de gingembre frais, épluché et râpé
25 g de haricots noirs fermentés, rincés et hachés gros
2 gousses d'ail écrasées
2 cuillères à soupe de vin blanc sec ou de vin de riz
15 g de sucre

L'un des plats chinois les plus courants. Les côtes de porc sont si moelleuses qu'elles fondent dans la bouche.

▷ Salez et poivrez les côtes de porc.

Mettez-les dans un faitout avec le bouillon et la sauce au soja. Portez à ébullition et laisser mijoter pendant 10 minutes. Pendant ce temps, mélangez les autres ingrédients. Salez et poivrez. Égouttez les côtes de porc et faites-les sécher sur du papier absorbant. Étalez le mélange sur les côtes.

Mettez les côtes dans la cocotte, couvrez et faites cuire à la vapeur au-dessus de l'eau bouillante pendant 1 heure. *Vérifiez régulièrement le niveau du liquide et ajoutez de l'eau bouillante si nécessaire.*

Enlevez la graisse avant de servir.

BAR À LA VAPEUR

Les Cantonais cuisent volontiers à la vapeur les poissons entiers. L'un des meilleurs est le bar qui, malheureusement, est relativement cher. Vous pouvez le remplacer par le vivaneau ou la brème.

▷ Rincez le poisson sous l'eau froide et enlevez le sang restant derrière la grande arête pour qu'il ne donne pas un goût amer au poisson. Incisez le poisson avec un couteau, frottez-le avec le sel, puis mettez-le dans un plat.

Rincez soigneusement les haricots noirs et coupez-les en gros morceaux. Mettez-les dans un récipient avec les ciboules, le gingembre, l'ail, la sauce au soja et le sucre. Faites chauffer l'huile dans le wok ou dans une poêle jusqu'à ce qu'elle fume. Enlevez la poêle du feu et versez l'huile sur les haricots noirs. Laissez la sauce grésiller un moment, mélangez bien et versez-la sur le poisson. Mettez le poisson dans la cocotte, couvrez et faites cuire à la vapeur au-dessus de l'eau bouillante pendant 20 minutes.

Mettez le poisson dans le plat de service, versez toute la sauce et décorez avec des ciboules et des rondelles de citron.

1,25 kg de bar nettoyé
1 cuillère à café de sel
2 cuillères à soupe de haricots noirs fermentés ayant trempé dans l'eau pendant 30 minutes
6 ciboules hachées fin
1 cuillère à soupe de gingembre frais râpé
5 gousses d'ail écrasées
1 cuillère à soupe de sauce au soja légère
1 cuillère à café de sucre
3 cuillères à soupe d'huile de sésame ou d'arachide

Pour décorer
ciboules
rondelles de citron

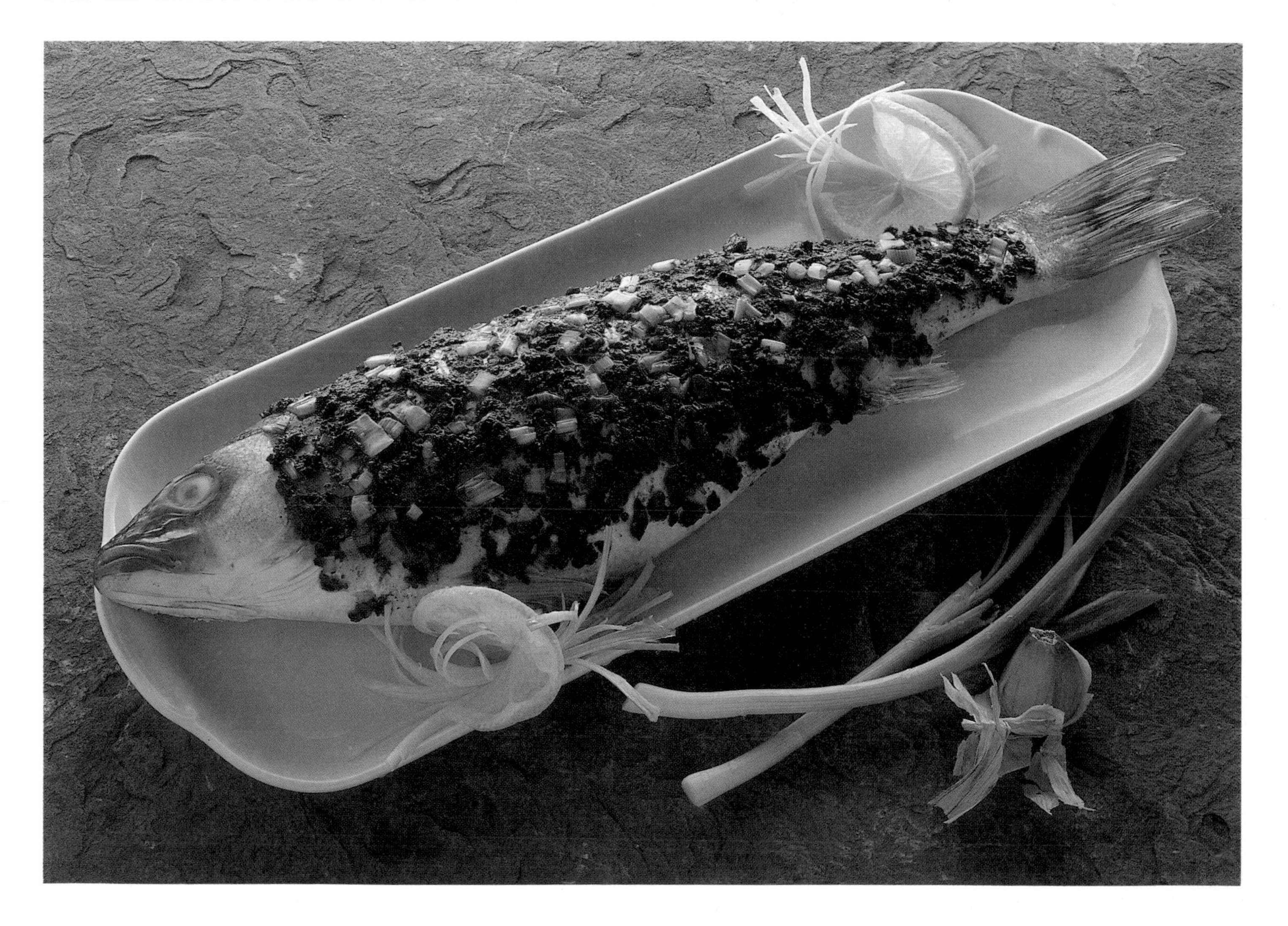

CURRY DE LOTTE

15 g de beurre
1 cuillère à soupe de curry en poudre
1/4 de cuillère à café de curcuma
1/4 de cuillère à café de poivre de Cayenne
1/4 de cuillère à café de graines de coriandre écrasées
1/4 de cuillère à café de cumin
1 kg de lotte sans arêtes et coupée en grosses tranches
1 cuillère à soupe d'huile
4 gousses d'ail écrasées
2 piments épépinés et hachés fin
2 oignons hachés fin
1 boîte (400 g) de tomates
1 cuillère à café de sucre en poudre
sel et poivre fraîchement moulu
coriandre ou persil pour décorer

La vraie recette se fait avec des feuilles de curry de l'Inde du Sud et des feuilles de tamarin. Mais comme il est pratiquement impossible d'en trouver, à moins que vous n'habitiez dans une communauté indienne, vous pouvez utiliser des épices plus répandues.

La lotte convient parfaitement, car elle a une chair ferme et s'imprègne bien des arômes. Préparez ce curry la veille pour que les arômes infusent bien.

▷ Faites chauffer le beurre dans une poêle et faites revenir le curry, le curcuma, le poivre de Cayenne, la coriandre et le cumin pendant 3 minutes sans les laisser brûler. Ajoutez le poisson et enduisez-le avec les épices. Mettez de côté pendant 2 heures, si vous avez le temps.

Faites chauffer l'huile dans une poêle et faites revenir l'ail, les piments et les oignons, sans les faire roussir. Ajoutez les tomates et le sucre. Salez et poivrez abondamment. Ajoutez le poisson et les épices. Versez le mélange dans un grand récipient. Couvrez avec du papier aluminium ou du papier sulfurisé, maintenu en place avec un morceau de ficelle. Mettez le récipient dans la cocotte ou dans un faitout couvert, rempli d'eau bouillante à mi-hauteur et faites cuire pendant 15 minutes. Goûtez et rectifiez l'assaisonnement si nécessaire.

Servez sur un lit de riz et décorez avec de la coriandre ou du persil.

CURRY MALAISIEN

1 oignon
15 g de gingembre frais
2 gousses d'ail
1/2 poivron vert
1/2 poivron rouge
1 piment
1 cuillère à soupe d'huile
450 g d'agneau ou de bœuf maigre, haché
sel et poivre fraîchement moulu
1 boîte (400 g) de tomates
50 g de crème de coco (voir page 85)
1 bâton de cannelle
3 gousses de cardamome
1 clou de girofle
2 cuillères à café de paprika
une pincée de fenouil en poudre
une pincée de graines de cumin
une pincée de coriandre en poudre
1 grosse pomme de terre
225 g de petits pois
feuilles de coriandre

Préparez ce plat la veille pour que la viande s'imprègne bien des différents arômes.

▷ Hachez l'oignon, épluchez et râpez le gingembre, écrasez les gousses d'ail. Épépinez et coupez en morceaux les poivrons, épépinez et coupez le piment en petits morceaux. Faites chauffer l'huile dans une poêle à fond épais. Faites dorer légèrement l'oignon, le gingembre, l'ail, les poivrons, le piment et la viande. Salez, poivrez et mettez de côté.

Portez à ébullition les tomates mélangées avec la crème de coco. Ajoutez les épices, mélangez et versez sur la viande. Épluchez et coupez en cubes la pomme de terre et ajoutez-la à la viande avec les petits pois. Mélangez bien tous les ingrédients. Versez dans un plat.

Couvrez avec du papier aluminium, maintenu en place avec un morceau de ficelle. Mettez le plat dans la cocotte ou dans un faitout couvert, rempli à mi-hauteur d'eau bouillante, et faites cuire pendant 1 1/2 h ou 1 h 45. *Vérifiez régulièrement le niveau du liquide et ajoutez de l'eau bouillante si nécessaire.*

Servez dans le plat ou bien sur un lit de riz et garnissez de feuilles de coriandre.

BIRYANI D'AGNEAU

Les biryanis font traditionnellement partie des plats servis lors des grandes fêtes. Le riz basmati à grains très fins est certainement celui qui convient le mieux, mais étant donné qu'il est très cher, mieux vaut utiliser du riz à grains longs, sauf dans de grandes occasions... Préparez ce plat d'avance et réchauffez-le à la vapeur avant de servir.

1,25 kg d'épaule d'agneau
50 g de beurre
4 gousses de cardamone
2 clous de girofle
1 petit bâton de cannelle
2 gousses d'ail écrasées
15 g de gingembre frais râpé
1 gros oignon haché gros
20 noix de cajou grillées
20 amandes grillées
1 cuillère à soupe de raisins de Smyrne
sel et poivre fraîchement moulu
225 g de riz basmati
45 cl d'eau
1 cuillère à café de safran
2 cuillères à soupe de lait chaud

Pour décorer
2 œufs durs en rondelles
2 tomates en rondelles

▻ Désossez l'épaule d'agneau et coupez-la en petits morceaux. Mettez de côté les os. Faites chauffer le beurre dans une poêle et faites dorer la viande de chaque côté. Mettez de côté. Faites revenir la cardamome, les clous de girofle et le bâton de cannelle dans la même poêle pendant 2 minutes, en veillant à ne pas les faire brûler. Ajoutez l'ail, le gingembre et l'oignon et faites cuire encore 5 minutes. Ajoutez la moitié des noix de cajou et des amandes, et la totalité des raisins, mélangez. Remettez la viande dans la poêle. Salez et poivrez abondamment.

Mettez une feuille de papier sulfurisé humide au fond du compartiment supérieur de la cocotte et disposez le mélange par-dessus. Lavez le riz et mettez-le dans le compartiment inférieur avec les os et l'eau. Portez à ébullition, couvrez et faites cuire à la vapeur la viande au-dessus du riz pendant 12-15 minutes. Mélangez le safran avec le lait chaud.

Enlevez les os. Salez et poivrez le riz et versez-le sur la viande en faisant une sorte de dôme. Avec le manche d'une cuillère en bois, pratiquez un trou au milieu et faites couler le lait au safran le long des parois du dôme. Couvrez à nouveau et faites cuire au-dessus de l'eau bouillante pendant 1 heure. *Vérifiez régulièrement le niveau du liquide et ajoutez de l'eau bouillante si nécessaire.*

Versez le riz et la viande dans le plat de service, enlevez le bâton de cannelle et mélangez délicatement. Décorez avec des rondelles de tomates et d'œufs et le restant de noix de cajou et les amandes.

CONSEILS

▻ La préparation des épices a une grande importance.

Le meilleur moyen d'écraser les graines dures est d'utiliser un bon pilon et un mortier, surtout lorsqu'il n'y en a pas beaucoup.

Il peut arriver parfois que vous ne sachiez pas comment utiliser certains ingrédients qui ne vous sont pas familiers. La crème de coco, par exemple, est vendue sous forme de blocs, lesquels peuvent être cassés et dissous dans de l'eau ou dans un autre liquide. On en trouve également en boîte, déjà dissoute, mais lisez bien l'étiquette car certaines marques sont sucrées.

AGNEAU À LA GRECQUE

- 1 kg d'agneau dans le gigot, coupé en petits morceaux
- 3 cuillères à soupe de vin blanc sec
- 2 gousses d'ail hachées fin
- 2 échalotes hachées fin
- 2 cuillères à soupe d'huile d'olive
- sel et poivre fraîchement moulu
- 1 poivron vert épépiné et coupé en petits morceaux
- 8 tomates cerises
- 2 courgettes coupées en grosses rondelles
- 4 petits oignons coupés en deux ou en quatre (selon la taille)
- 3 cuillères à café de menthe fraîche hachée
- 4 cuillères à café de ciboulette hachée
- 15 cl de bouillon d'agneau ou de bœuf
- 15 cl de yaourt nature

Cette recette est délicieuse et facile à faire, mais prévoyez suffisamment de temps pour faire mariner la viande. Le yaourt est utilisé dans de nombreux plats grecs et turcs, car il facilite, semble-t-il, la digestion.

▷ Enlevez le gras de la viande et mettez-la dans un plat creux. Mélangez le vin blanc sec, l'ail, l'échalote et la moitié de l'huile dans un récipient. Salez, poivrez et versez le mélange sur la viande. Couvrez avec du film alimentaire et laissez mariner pendant 12-24 heures.

Enlevez délicatement la viande de la marinade et faites-la sécher sur du papier absorbant. Mettez de côté la marinade. Faites chauffer le restant de l'huile dans une poêle à fond épais. Faites dorer les morceaux d'agneau de chaque côté à feu vif. Ajoutez le poivron, les tomates, les courgettes et les oignons, salez et poivrez abondamment.

Découpez une feuille de papier aluminium suffisamment grande et mettez-y tous les ingrédients et la moitié de la menthe et de la ciboulette. Versez le bouillon dans la poêle et portez-le à ébullition en grattant les dépôts accrochés au fond. Faites-le réduire jusqu'à ce qu'il devienne sirupeux. Versez sur la viande. Repliez les bords du papier aluminium et appuyez pour bien fermer.

Mettez la viande dans la cocotte, couvrez et faites cuire à la vapeur au-dessus de l'eau bouillante pendant 25-30 minutes. *Vérifiez régulièrement le niveau du liquide et ajoutez de l'eau bouillante si nécessaire.*

Pendant ce temps, faites bouillir la marinade. Ajoutez le restant d'herbes. Goûtez et rectifiez l'assaisonnement si nécessaire. Laissez refroidir. Ajoutez le yaourt et mélangez.

Enlevez le papier aluminium et mettez la viande dans le plat de service préalablement chauffé. Versez la sauce sur la viande ou bien servez séparément.

De haut en bas : *Curry malaisien (page 84) ; Dolmas (page 88)*

DOLMAS

12 feuilles de vigne ou de chou ou d'épinards
1 cuillère à soupe d'huile d'olive
1 oignon haché fin
4 cuillères à soupe de riz long grain
sel et poivre fraîchement moulu
une pincée de piment
une pincée de romarin écrasé
jus de 1 citron
100 g de champignons coupés en rondelles
30 cl de bouillon de poule
100 g d'agneau haché
2 cuillères à soupe de persil haché
25 g de pignons de pin
1 cuillère à café de menthe fraîche hachée
quartiers de citron pour décorer

Les uns prétendent que les dolmas ont été inventés par les Grecs qui les servaient en entrée, les autres affirment qu'ils ont été inventés par les Turcs qui les servaient comme plat principal. Peu importe, car le résultat est excellent dans les deux cas. Si vous ne trouvez pas de feuilles de vigne, remplacez-les par des feuilles de chou ou d'épinards.

▷ Faites cuire les feuilles à la vapeur pendant 30 secondes au-dessus de l'eau bouillante. Faites-les sécher à plat sur du papier absorbant. Si vous utilisez des feuilles de vigne en boîte, sortez-les délicatement sans les casser. Faites chauffer l'huile et faites légèrement dorer l'oignon et le riz. Salez et poivrez abondamment.

Ajoutez le piment, le romarin, le jus de citron, les champignons et ce qu'il faut de bouillon pour que le liquide dépasse de 2,5 cm le riz. Couvrez et faites cuire à feu doux pendant 12 minutes. Laissez refroidir. Ajoutez l'agneau, le persil, les pignons et la menthe, et mélangez. Salez et poivrez à nouveau. Versez 2 cuillères à café du mélange sur chaque feuille et refermez. Placez les dolmas dans la cocotte en les superposant. Couvrez et faites cuire au-dessus du restant de bouillon pendant 1 heure. *Vérifiez régulièrement le niveau du liquide et ajoutez du bouillon ou de l'eau bouillante si nécessaire.*

Disposez les dolmas dans le plat de service et servez avec du yaourt bien frais.

MOUSSAKA

2 grosses aubergines coupées en dés
sel et poivre fraîchement moulu
2 cuillères à soupe d'huile d'olive
2 gros oignons hachés fin
2 gousses d'ail écrasées
700 g d'agneau cuit haché
700 g de tomates pelées, épépinées et coupées en morceaux
une pincée de thym séché
une pincée de romarin séché
20 g de beurre
20 g de farine
1/2 cuillère à café de moutarde en poudre
25 cl de lait (macéré avec de l'oignon, du macis, du persil et du poivre en grains)
1 blanc et 1 jaune d'œuf
4-6 cuillères à soupe de parmesan râpé

La moussaka a changé de nombreuses fois de nationalité. Les Turcs se sont emparés de ce plat d'origine arabe, puis les Grecs qui en ont fait leur plat national. N'hésitez pas à inventer.

▷ Mettez les aubergines dans une passoire et salez-les abondamment. Laissez dégorger pendant 30 minutes. Rincez sous l'eau froide pour enlever le sel et le jus amer. Faites sécher sur du papier absorbant.

Faites chauffer l'huile dans une poêle. Faites revenir les aubergines, les oignons et l'ail, sans les faire roussir. Ajoutez l'agneau, les tomates, le thym et le romarin, salez et poivrez. Versez le mélange dans un récipient.

Faites fondre le beurre dans une poêle propre. Ajoutez la farine et la moutarde, faites cuire pendant 2 minutes. Ajoutez le lait et portez à ébullition en remuant constamment jusqu'à ce que le mélange épaississe. Enlevez du feu et ajoutez le jaune d'œuf battu. Salez et poivrez abondamment. Battez le blanc d'œuf très ferme et incorporez-le à la sauce avec le parmesan. Versez la sauce sur la viande. Couvrez avec du papier d'aluminium, maintenu en place avec un morceau de ficelle. Mettez le récipient dans la cocotte ou dans un faitout couvert, rempli d'eau bouillante à mi-hauteur, et faites cuire à la vapeur à feu doux pendant 15-20 minutes.

Faites chauffer le gril. Enlevez le papier aluminium et faites dorer. Servez immédiatement.

ARROZ CON POLLO

Comme bon nombre d'autres mets espagnols, ce plat traditionnel espagnol contient du safran, lequel provient des étamines séchées du crocus cultivé.

Le safran contient une substance colorante jaune qui donne à tous ces plats leur fameuse couleur.

4 blancs de poulet
jus de 1/2 citron
sel et poivre fraîchement moulu
1 cuillère à soupe d'huile d'olive
1 oignon haché fin
2 gousses d'ail écrasées
2 poivrons rouges épépinés et coupés en dés
300 g de riz long grain soigneusement lavé
1 boîte (400 g) de tomates coupées en morceaux
une bonne pincée de safran
2 cuillères à soupe de persil haché
10 olives noires dénoyautées et coupées en deux
1 cuillère à café de câpres
30 cl de bouillon de poule
100 g de petits pois
Pour décorer
8 olives noires dénoyautées
persil à feuilles plates

▷ Arrosez les blancs de poulet avec le jus de citron, salez et poivrez. Faites chauffer l'huile dans une poêle à fond épais et faites dorer les morceaux de poulet de chaque côté. Mettez-les dans un moule à charlotte. Faites revenir les oignons, l'ail, les poivrons et le riz dans la même poêle jusqu'à ce que le riz soit devenu blanc. Ajoutez les autres ingrédients et mélangez. Salez et poivrez. Versez le mélange sur les blancs de poulet. Couvrez avec du papier aluminium, maintenu en place avec un morceau de ficelle. Mettez le moule dans la cocotte ou dans un faitout couvert, rempli à mi-hauteur d'eau bouillante et faites cuire pendant 40 minutes. *Vérifiez régulièrement le niveau du liquide et ajoutez de l'eau bouillante si nécessaire.*

Enlevez le papier aluminium et versez le poulet et le riz dans le plat de service préalablement chauffé. Décorez avec les olives et le persil. Servez immédiatement.

PAELLA À LA VAPEUR

C'est un mélange coloré de viandes, de légumes, d'épices et de crustacés qui est traditionnellement cuit et servi dans une poêle spéciale à deux poignées. Vous pouvez modifier la quantité des différents ingrédients, mais ne changez pas la proportion riz-bouillon.

2 cuillères à soupe d'huile d'olive
3 morceaux de poulet ou de lapin désossés, coupés en petits cubes
100 g de chorizo, coupé en cubes
1 oignon émincé
1 gousse d'ail écrasée
1 poivron vert épépiné et coupé en lanières
200 g de riz long grain, lavé
bouillon de poule ou de lapin
225 g de poisson à chair blanche et ferme, sans la peau, coupé en cubes
2 piments rouges en lanières
sel et poivre fraîchement moulu
12 crevettes non décortiquées
12 moules lavées et grattées
75 g de petits pois cuits
olives noires
quartiers de citron
persil haché

▷ Faites chauffer l'huile dans une poêle à fond épais et faites dorer les morceaux de poulet de chaque côté. Mettez de côté. Faites revenir le chorizo, l'oignon, l'ail, le poivron et le riz dans la poêle pendant 5 minutes jusqu'à ce que le riz devienne blanc.

Versez ce qu'il faut de bouillon pour que le liquide dépasse le riz de 2,5 cm. Remettez le poulet dans la poêle et ajoutez le poisson et les piments. Salez et poivrez. Couvrez et faites cuire à la vapeur pendant 15 minutes. Ajoutez les ingrédients restants et faites cuire encore pendant 5 minutes.

Disposez la paella sur le plat de service préalablement chauffé et décorez avec des quartiers de citron, des olives et du persil haché.

OSSO BUCCO

1,5 kg de jarret de veau coupé en tranches de 3,5 cm
sel et poivre fraîchement moulu
2 cuillères à soupe d'huile d'olive
2 oignons hachés fin
2 gousses d'ail écrasées
450 g de carottes en bâtonnets
4 branches de céleri hachées
une pincée de romarin frais haché
une pincée de thym frais haché
30 cl de bouillon de veau ou de poule
30 cl de vin blanc sec
1 boîte (400 g) de tomates
1 cuillère à café de sucre

Pour décorer

2 cuillères à soupe de persil haché
zeste râpé de 1 citron
2 gousses d'ail hachées fin

Ce fameux plat italien fait avec du jarret de veau est extrêmement bon marché. Le nom « osso bucco » signifie en italien « os à trou ». Demandez à votre boucher de couper le jarret en tranches, ce qui raccourcira nettement le temps de préparation. Je vous indique ici la garniture traditionnelle.

▷ Salez et poivrez la viande. Faites chauffer l'huile dans une poêle à fond épais et faites dorer de chaque côté les morceaux de veau. Mettez de côté. Faites dorer légèrement les oignons, l'ail, les carottes et le céleri pendant 3 minutes. Salez et poivrez abondamment.

Mettez une feuille de papier sulfurisé humide au fond du compartiment supérieur de la cocotte et mettez les légumes dessus. Posez les morceaux de viande à la verticale sur les légumes pour éviter que la moëlle ne sorte pendant la cuisson. Saupoudrez la viande de romarin et de thym.

Mettez le bouillon, le vin, les tomates et le sucre dans le compartiment inférieur de la cocotte. Portez à ébullition. Posez par-dessus la viande et les légumes. Couvrez et faites cuire à la vapeur pendant 2 heures. *Vérifiez régulièrement le niveau du liquide et ajoutez du bouillon si nécessaire.*

Versez la viande et les légumes dans le plat de service préalablement chauffé. Faites réduire le mélange de tomates en le faisant bouillir jusqu'à ce qu'il devienne onctueux. Versez la sauce sur la viande et saupoudrez de persil, de zeste de citron et d'ail.

RAGOÛT DE LÉGUMES

1 grosse aubergine en cubes
6 courgettes en rondelles
sel et poivre fraîchement moulu
2 cuillères à soupe d'huile d'olive
2 gros oignons émincés
3 gousses d'ail écrasées
2 poivrons verts épépinés, en dés
450 g de tomates pelées, épépinées et coupées en quatre
2 cuillères à soupe de persil haché
1/4 de cuillère à café d'origan
1/4 de cuillère à café de marjolaine
1 cuillère à soupe de basilic
basilic ou persil frais haché pour décorer

Ce plat est un extraordinaire mélange de légumes cuits très lentement.

Utilisez de préférence de l'huile d'olive et servez ce plat tout seul avec du pain bis ou bien avec de la viande et de la volaille.

▷ Mettez l'aubergine et les courgettes dans une passoire. Salez abondamment et laisser dégorger pendant 30 minutes. Rincez soigneusement sous l'eau froide pour enlever le sel et faites sécher sur du papier absorbant.

Faites chauffer l'huile dans une poêle et faites revenir les oignons, l'ail et les poivrons, sans les faire roussir. Ajoutez l'aubergine, les courgettes, les tomates et les herbes. Salez et poivrez et faites revenir pendant 3 minutes.

Versez le mélange dans un moule à charlotte, couvrez avec du papier aluminium ou du papier sulfurisé, maintenu en place avec un morceau de ficelle. Mettez le moule dans la cocotte ou dans un faitout couvert, rempli d'eau bouillante à mi-hauteur et faites cuire à la vapeur pendant 1 heure. *Vérifiez régulièrement le niveau du liquide et ajoutez de l'eau bouillante si nécessaire.*

Enlevez le papier aluminium et servez très chaud, décoré de basilic ou de persil haché.

Ce plat est également délicieux servi froid en salade.

POISSON À LA HONGROISE

1,25 kg de filets de poisson à chair blanche et ferme, sans la peau
sel et poivre fraîchement moulu
jus de 1/2 citron
25 g de beurre
2 oignons émincés
1 gousse d'ail
6 tomates pelées, épépinées et coupées en rondelles
1 cuillère à soupe d'herbes fraîches hachées, aneth, persil, fenouil
2 cuillères à café de paprika
15 cl de crème fraîche
paprika
herbes fraîches

N'importe quel poisson à la chair blanche et ferme convient pour cette recette ; les Hongrois, toutefois, utilisent toujours un poisson d'eau douce, la carpe, par exemple. Le paprika, cet épice hongrois de couleur rouge, est l'ingrédient le plus important. Le poisson peut être servi sur un lit de pâtes au beurre. Dans ce cas, plongez les pâtes fraîches dans l'eau bouillante cinq minutes avant la fin de la cuisson, de manière à ce que tout soit prêt en même temps.

▷ Salez et poivrez le poisson et arrosez-le de jus de citron. Coupez-le en petits morceaux et mettez-le dans un récipient. Faites chauffer le beurre et faites revenir les oignons et l'ail, sans les faire roussir. Ajoutez les tomates et les herbes, salez et poivrez. Versez le mélange sur le poisson. Mélangez le paprika avec la crème fraîche et incorporez délicatement le poisson et les légumes. Couvrez avec du papier aluminium ou du papier sulfurisé, maintenu en place avec un morceau de ficelle. Mettez le récipient dans la cocotte ou dans un faitout couvert, rempli d'eau bouillante à mi-hauteur, et faites cuire à la vapeur pendant 20 minutes.

Disposez le poisson dans le plat de service préalablement chauffé et saupoudrez de paprika et d'herbes fraîches.

POISSON À LA JUIVE

1 tranche de pain blanc frais
eau
1 cuillère à soupe d'huile
1 gros oignon haché fin
1 carotte râpée
1 kg de filets de poissons à chair blanche
2 cuillères à soupe de persil haché
sel et poivre fraîchement moulu
2 œufs
câpres
30 cl de fumet de poisson
Pour décorer
persil à feuilles plates
quartiers de citrons

Jadis les femmes coupaient le poisson en petits morceaux et farcissaient une carpe qu'elles pochaient dans du court-bouillon. Aujourd'hui, on se contente de hacher le poisson et d'en faire des boulettes. Ce plat qui peut être servi en entrée ou comme plat principal peut se préparer à l'avance.

▷ Faites tremper le pain dans l'eau pendant 15 minutes. Pendant ce temps, faites chauffer l'huile dans une casserole et faites revenir l'oignon et la carotte pendant 3 minutes. Hachez ensemble le poisson, l'oignon, la carotte et le persil. Salez et poivrez.

Pressez le pain pour faire sortir l'eau et mélangez-le avec les œufs et le poisson. Mélangez bien pour incorporer tous les ingrédients. Avec les doigts, formez des boulettes de la taille d'une prune et posez une câpre sur chaque boulette.

Mettez les boulettes dans la cocotte, couvrez et faites cuire à la vapeur au-dessus du fumet de poisson pendant 30 minutes. *Vérifiez régulièrement le niveau du liquide et ajoutez du fumet de poisson si nécessaire.*

Disposez les boulettes dans le plat de service. Faites réduire le fumet de poisson en le faisant bouillir jusqu'à ce qu'il devienne sirupeux. Versez la sauce sur les boulettes. Laissez refroidir et mettez au réfrigérateur avant de servir. Décorez avec du persil à feuilles plates et des quartiers de citrons.

POULET DES CARAÏBES

Les patates douces, le potiron et les bananes évoquent la vraie cuisine des Caraïbes.

On les trouve aujourd'hui dans les supermarchés. N'hésitez donc pas à essayer cette recette pour avoir un goût des Caraïbes.

1 poulet (1,75 kg) prêt à cuire, sans les abattis
sel et poivre fraîchement moulu
jus de 1 citron
1 cuillère à soupe d'huile
1 oignon émincé
3 gousses d'ail
15 g de gingembre frais, épluché et râpé
2 piments épépinés et hachés fin
3 tomates pelées, épépinées et coupées en morceaux
700 g de patates douces, épluchées et coupées en cubes
700 g de potiron épluché et coupé en cubes
2 bananes en rondelles
60 cl de bouillon de poule
1 bâton de cannelle
Pour décorer
rondelles de citron
persil à feuilles plates

▷ Salez et poivrez le poulet et arrosez-le avec le jus de citron. Faites chauffer l'huile dans une poêle à fond épais. Faites dorer le poulet à feu vif de chaque côté. Mettez de côté. Faites revenir l'oignon, l'ail, le gingembre, les piments et les tomates, sans les faire roussir. Ajoutez les patates douces, le potiron et les bananes. Salez et poivrez.

Versez les légumes et les épices dans la cocotte et mettez le poulet par-dessus. Portez à ébullition le bouillon et ajoutez le bâton de cannelle. Couvrez et faites cuire à la vapeur au-dessus du bouillon pendant 1 1/2 h. *Vérifiez régulièrement le niveau du liquide et ajoutez du bouillon si nécessaire.*

Enlevez le bâton de cannelle. Mettez le poulet dans le plat de service préalablement chauffé et tenez au chaud. Passez au mixeur les légumes et le bouillon. Versez sur le poulet. Décorez avec des rondelles de citron et du persil.

Servez immédiatement.

BABOTIE

Le babotie est un plat d'Afrique du Sud qui se réchauffe très bien. Il a été inventé au XVIIe siècle par les esclaves et était fait avec des restes de viande et de légumes. La viande peut être remplacée par du poisson ; n'hésitez donc pas à vider votre réfrigérateur et suivez la recette en utilisant les ingrédients de votre choix.

1 tranche de pain blanc
30 cl de lait
1 oignon haché fin
2 gousses d'ail écrasées
2 branches de céleri hachées
4 carottes cuites, en rondelles
25 g de beurre
3 cuillères à café de curry
1 cuillère à soupe de chutney aux mangues
jus de 1 citron
700 g de viande ou de poisson cuit et haché, par exemple agneau, bœuf, poulet, poisson à chair blanche
sel et poivre fraîchement moulu
2 œufs
12 amandes grillées
persil haché

▷ Faites tremper le pain dans le lait. Beurrez un moule à charlotte. Faites revenir l'oignon, l'ail, le céleri et les carottes, sans les faire roussir. Ajoutez le curry, le chutney, le jus de citron et le poisson ou la viande. Salez et poivrez. Versez le mélange dans le moule à charlotte. Pressez le pain pour faire sortir le lait, réservez le lait et incorporez le pain au mélange.

Mélangez les œufs avec le lait. Salez, poivrez et versez le mélange sur la viande. Disposez les amandes grillées et coupées en deux par-dessus. Couvrez avec du papier aluminium ou du papier sulfurisé, maintenu en place avec un morceau de ficelle. Mettez le moule dans la cocotte ou dans un faitout couvert, rempli à mi-hauteur d'eau frémissante, et faites cuire pendant 40 minutes ou jusqu'à ce que la crème ait prise.

Servez, saupoudré de persil haché.

PÂTES, LÉGUMINEUSES ET CÉRÉALES

Les pâtes, les légumineuses, le riz et les autres céréales peuvent remplacer les pommes de terre, les boulettes ou les gâteaux et apporter à notre organisme l'amidon nécessaire. Les pâtes sont faites avec du blé dur, lequel pousse particulièrement bien en Italie. Il est broyé pour former de la semoule, puis mélangé avec de l'huile et de l'eau pour former une pâte lisse à laquelle sont parfois incorporés des œufs ou de la purée d'épinards. Les pâtes qui sont de taille et de forme différentes sont souvent séchées avant d'être vendues. Les légumineuses les plus courantes sont les petits pois jaunes et verts, les haricots secs, les haricots de Lima, les haricots rouges et les lentilles jaunes, vertes ou rouges. Contrairement aux légumes, la plupart des légumineuses doivent tremper dans l'eau pendant plusieurs heures avant de cuire. Il existe de nombreuses variétés de riz, lequel constitue la base de la nourriture d'une grande partie de la population du monde : le riz blanc lisse, le riz complet non lisse, le riz sauvage, le riz à grains longs ou riz patna, et le riz basmati de qualité supérieure. Le riz à grains courts convient pour les risottos et les gâteaux, les grains de riz devant être très absorbants. Suivez la recette du riz cuit à la vapeur et vous n'aurez plus jamais de riz collant.

Couscous (page 109)

RAVIOLI À LA NAPOLITAINE

Une fois que vous saurez faire les ravioli, vous pourrez donner libre cours à votre imagination et les farcir avec les ingrédients de votre choix.
J'ai choisi, pour ma part, de les farcir avec un mélange d'épinards et de fromage caillé et de cuire le tout dans une bonne sauce tomate italienne.

Pâte
225 g de farine tamisée
50 g de semoule
une pincée de sel
1 1/2 cuillères à soupe d'huile d'olive
2 œufs battus
3-4 cuillères à soupe d'eau ou de lait
Garniture
225 g d'épinards hachés congelés
50 g de fromage blanc
sel et poivre fraîchement moulu
une pincée de muscade râpée
Sauce napolitaine
15 g de beurre
1 gros oignon émincé
1 gousse d'ail écrasée
5 cl de vin rouge
1 boîte (400 g) de tomates coupées en morceaux
1 cuillère à soupe de concentré de tomates
1 feuille de laurier
1/4 de cuillère à café de sucre
15 cl de bouillon de viande ou de légumes
2 cuillères à café de basilic frais haché
basilic pour décorer

▷ Mettez la farine, la semoule et le sel dans un récipient. Faites un puits au milieu et versez-y l'huile, les œufs et la moitié de l'eau ou du lait. Mélangez bien. Ajoutez du liquide si nécessaire. Travaillez la pâte pour la rendre lisse et ferme. Après l'avoir bien pétrie, recouvrez-la avec un torchon et laissez-la reposer pendant 30 minutes.

Pendant ce temps, préparez la garniture. Faites décongeler les épinards à feu vif et faites-les sécher sur du papier absorbant. Mettez-les dans un récipient avec le fromage blanc. Mélangez bien, salez, poivrez et ajoutez la muscade. Mettez de côté.

Sur une surface légèrement farinée, partagez la pâte en deux et étendez-la au rouleau jusqu'à ce qu'elle soit très fine. Badigeonnez-la avec un peu d'eau et disposez une cuillère à café de la garniture à intervalles réguliers sur la pâte. Après avoir passé les mains dans la farine, recouvrez avec l'autre morceau de pâte et appuyez sur la pâte autour de chaque petit monticule. Découpez chaque ravioli avec un couteau denté ou bien découpez des carrés avec un emporte-pièces. Laissez les ravioli sécher pendant 2 heures, puis plongez-les dans une casserole d'eau bouillante salée et faites-les cuire pendant 5 minutes. Rincez sous l'eau froide.

Pour faire la sauce, faites fondre le beurre dans une poêle et faites revenir l'oignon et l'ail, sans les faire roussir. Incorporez le restant des ingrédients, salez et poivrez.

Mettez les ravioli et la sauce tomate dans un moule à charlotte. Couvrez avec du papier aluminium ou du film alimentaire et mettez le moule dans la cocotte. Couvrez et faites cuire au-dessus de l'eau bouillante pendant 15 minutes.

Disposez les ravioli sur le plat de service préalablement chauffé et décorez avec du basilic frais. Servez immédiatement.
Pour 16 pièces.

CANNELLONI

25 g de beurre
25 g de farine
15 cl de lait
sel et poivre fraîchement moulu
2 cuillères à soupe de persil haché
une pincée d'origan
une pincée de marjolaine
1 jaune d'œuf
1 cuillère à soupe d'huile
225 g de poulet désossé et haché fin
75 g de jambon cuit coupé en petits dés
1 oignon haché fin
2 gousses d'ail écrasées
1 poivron vert épépiné et haché fin
1 branche de céleri hachée fin
12-16 cannelloni (comptez 3-4 par personne)
1 boîte (400 g) de tomates coupées en morceaux
1 cuillère à café de sucre
15 cl de bouillon de poule
25 g de parmesan râpé

Les cannelloni constituent un plat typiquement italien obtenu à partir d'une pâte composée de farine et d'eau. On trouve aujourd'hui des tubes de pâte séchés dans les supermarchés ou les magasins d'alimentation.

Si vous suivez les principes de la recette indiquée ci-dessous, vous pouvez remplacer la viande et les légumes par les ingrédients de votre choix. Le plat peut être préparé d'avance et cuit à la vapeur juste avant de servir.

▷ Faites fondre le beurre dans une casserole, ajoutez la farine et faites cuire pendant 2 minutes. Ajoutez le lait et portez à ébullition en remuant constamment. Salez, poivrez, ajoutez les herbes et laissez mijoter pendant 3 minutes. Enlevez du feu et incorporez le jaune d'œuf. Couvrez et mettez de côté.

Faites chauffer l'huile dans une poêle et faites revenir le poulet, le jambon, l'oignon, l'ail, le poivron et le céleri pendant 6 minutes en remuant de temps en temps. Salez et poivrez. Laissez refroidir, puis ajoutez la sauce aux herbes.

Mettez les cannelloni dans une grande casserole d'eau bouillante salée et faites cuire pendant 5 minutes. Enlevez les cannelloni et plongez-les dans de l'eau glacée. Faites sécher sur du papier absorbant. Mettez la garniture dans une poche à douille (ou bien utilisez le manche d'une cuillère), farcissez les cannelloni et mettez-les dans un plat.

Mélangez les tomates, le sucre et le bouillon et versez le mélange sur les cannelloni. Couvrez avec du papier aluminium ou du papier sulfurisé, maintenu en place avec un morceau de ficelle. Mettez le plat dans la cocotte ou dans un faitout couvert, rempli à mi-hauteur d'eau bouillante, et faites cuire pendant 40 minutes. *Vérifiez régulièrement le niveau du liquide et ajoutez de l'eau bouillante si nécessaire.*

Juste avant de servir, faites chauffer le gril. Enlevez le papier aluminium et saupoudrez les cannelloni de parmesan. Faites dorer et servez immédiatement.

CHEVEUX D'ANGE

450 g de farine chauffée dans le four
2 œufs
1 1/2 cuillère à soupe d'huile d'olive
10 cl d'eau

On croyait autrefois que les pâtes faisaient grossir, tout comme le pain et les pommes de terre. On estime au contraire aujourd'hui qu'elles constituent un aliment sain et complet. Les pâtes fraîches sont vendues dans la plupart des supermarchés. Si vous préférez les faire vous-même, suivez la recette indiquée ci-dessous.

▷ Mixez tous les ingrédients pendant 1 minute. Couvrez la pâte avec du film alimentaire et laissez reposer pendant 1 heure à température ambiante. Divisez la pâte en 10 parts égales et étendez-la au rouleau sur une surface légèrement farinée jusqu'à ce qu'elle soit très mince. Elle doit être presque transparente.

Saupoudrez chaque morceau de pâte de farine et faites-les sécher pendant 1 heure sur une grille. Découpez la pâte en lamelles très fines. Enroulez les cheveux d'ange par 20, sans les serrez, et mettez de côté. Couvrez avec du film alimentaire.

TAGLIATELLES AU JAMBON

L'avantage de ce plat est que la garniture cuit en même temps que les tagliatelles. Celles-ci se servent soit au déjeuner, soit au dîner. Si vous utilisez des tagliatelles fraîches, faites-les cuire 3 minutes avant de servir. Sinon, suivez ma recette.

350 g de jambon maigre coupé en cubes et ayant trempé dans l'eau pendant 15 minutes
1 cuillère à soupe d'huile d'olive
1 oignon émincé
1 gousse d'ail écrasée
175 g de champignons lavés et coupés en rondelles
1 boîte (400 g)de tomates coupées en morceaux
1 cuillère à soupe de basilic frais haché
1 cuillère à soupe de persil haché
1 cuillère à soupe de concentré de tomates
sel et poivre fraîchement moulu
225 g de tagliatelles séchées
15 g de beurre
50 g de parmesan râpé
basilic pour décorer

▹ Égouttez le jambon. Faites chauffer l'huile dans une poêle et faites revenir l'oignon et l'ail, sans les faire roussir. Ajoutez le jambon et les champignons et faites-les revenir 3 minutes. Ajoutez les tomates, les herbes et le concentré de tomates, mélangez. Salez et poivrez. Versez le mélange dans un moule à charlotte. Couvrez avec du papier aluminium ou du film alimentaire. Remplissez une grande casserole d'eau salée et portez à ébullition. Mettez le moule dans la cocotte et couvrez. Faites cuire à la vapeur au-dessus de l'eau bouillante pendant 25 minutes. *Vérifiez régulièrement le niveau du liquide et ajoutez de l'eau bouillante si nécessaire.*

Quinze minutes avant de servir, plongez les tagliatelles dans l'eau bouillante, couvrez et faites cuire encore 12 minutes.

Égouttez les pâtes et disposez-les sur le plat de service préalablement chauffé. Ajoutez un petit morceau de beurre, salez et poivrez. Enlevez le papier aluminium et versez le jambon et la sauce sur les tagliatelles. Saupoudrez de parmesan, décorez avec le basilic et servez immédiatement.

GIGOT D'AGNEAU À LA PAYSANNE

Ce plat qui est servi avec de délicieux haricots secs et des légumes-racines tout frais est meilleur préparé d'avance et réchauffé.

225 g de haricots secs, ayant trempé dans l'eau toute la nuit
2 cuillères à soupe d'huile
1 kg de gigot d'agneau désossé
1 gros oignon émincé
1 petit rutabaga coupé en cubes
1 gros navet coupé en cubes
2 gousses d'ail écrasées
1 panais coupé en cubes
sel et poivre fraîchement moulu
15 cl de bouillon d'agneau ou de bœuf
1/2 cuillère à café de romarin frais ou 1/4 de cuillère à café de romarin séché
1 cuillère à café de menthe hachée
1 cuillère à café de gelée de groseilles
romarin et menthe pour décorer

▹ Égouttez les haricots et faites-les bouillir dans de l'eau propre pendant 20 minutes. Égouttez. Faites chauffer l'huile dans une poêle à fond épais et faites dorer l'agneau de chaque côté. Mettez la viande dans un grand moule à charlotte. Faites revenir les légumes dans la même poêle pendant 5 minutes et versez-les sur la viande. Ajoutez les haricots et mélangez. Salez et poivrez abondamment.

Versez le bouillon dans la poêle, ajoutez le romarin, la menthe et la gelée de groseilles. Portez à ébullition et grattez les dépôts accrochés au fond. Versez sur la viande. Couvrez avec du papier aluminium, maintenu en place avec un morceau de ficelle. Mettez le moule dans la cocotte ou dans un faitout couvert, rempli d'eau bouillante à mi-hauteur, et faites cuire pendant 1 h 1/2. *Vérifiez régulièrement le niveau du liquide et ajoutez de l'eau bouillante si nécessaire.*

Disposez la viande et les légumes sur le plat de service préalablement chauffé et tenez au chaud. Faites bouillir le restant de bouillon jusqu'à ce qu'il devienne sirupeux, goûtez et rectifiez l'assaisonnement si nécessaire.

Versez la sauce sur la viande et décorez avec du romarin et de la menthe.

ROULEAUX AU JAMBON

Ce plat très riche en protéines est excellent servi avec du pain frais et du beurre.

Préparez les rouleaux d'avance et faites-les cuire juste avant de servir. Utilisez de préférence des pois n'ayant pas besoin de tremper dans l'eau. Si vous n'en trouvez pas, laissez tremper la même quantité de pois ordinaires dans de l'eau froide pendant toute la nuit et faites-les bouillir jusqu'à ce qu'ils soient tendres.

100 g de pois
30 cl de lait
1 rondelle d'oignon
1 feuille de laurier
6 grains de poivre noir
1 cuillère à soupe d'huile
4 ciboules hachées fin
1 gousse d'ail écrasée
une poignée de cresson alénois
1/4 de cuillère à café de graines de moutarde
1 œuf battu
sel et poivre fraîchement moulu
8 tranches (5 mm) de jambon maigre cuit
20 g de beurre
20 g de farine
une cuillère à café de moutarde
sel et poivre de Cayenne
50 g de gruyère râpé

▷ Mettez les pois dans une casserole et suivez les instructions figurant sur le paquet. Faites bouillir jusqu'à ce qu'ils soient tendres. Écrasez-les avec une fourchette pour obtenir une pâte lisse. Laissez refroidir. Mettez le lait dans une casserole avec l'oignon, le laurier et les grains de poivre. Portez à ébullition, enlevez du feu et laissez infuser pendant 15 minutes.

Faites chauffer l'huile dans une poêle et faites revenir les ciboules et l'ail, sans les faire roussir. Enlevez du feu. Incorporez la purée de pois, la moitié du cresson, les graines de moutarde et l'œuf battu. Salez et poivrez abondamment. Répartissez le mélange entre les tranches de jambon et roulez-les. Disposez-les côte à côte dans un plat à gratin.

Faites fondre le beurre dans une poêle et ajoutez la farine, la moutarde, le sel et le poivre de Cayenne. Faites cuire pendant 2 minutes. Passez le lait au-dessus de ce mélange et portez à ébullition en remuant constamment. Laissez mijoter pendant 3 minutes et versez la sauce sur les rouleaux de jambon. Couvrez avec du papier aluminium ou du papier sulfurisé et mettez le plat dans la cocotte ou au-dessus d'un faitout. Couvrez et faites cuire à la vapeur au-dessus de l'eau bouillante pendant 15 minutes.

Faites chauffer le gril. Enlevez le papier aluminium et saupoudrez les rouleaux de fromage râpé. Faites dorer, saupoudrez avec le restant de cresson et servez immédiatement.

De haut en bas : *rouleaux au jambon ; tagliatelles au jambon (p. 97)*

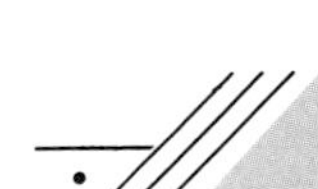

CONSEILS

▷ La consommation de légumineuses, riches en protéines est en nette augmentation. Ceci s'explique par l'intérêt croissant porté à la nourriture végétarienne et par le souci de consommer davantage de fibres.

La plupart des légumineuses doivent tremper dans l'eau toute la nuit avant de cuire, de manière à se réhydrater. Si vous voulez gagner du temps, recouvrez les légumineuses avec de l'eau dans une casserole et faites-les bouillir doucement, couvrez, enlevez du feu et laissez reposer pendant 2 heures avant de faire cuire. Les lentilles corail sont une exception ; elles n'ont pas besoin de tremper dans l'eau et deviennent tendres au bout de 15 minutes de cuisson. Quant aux haricots rouges secs, il faut les faire bouillir rapidement pendant 3 minutes au début de la cuisson, pour détruire les enzymes toxiques.

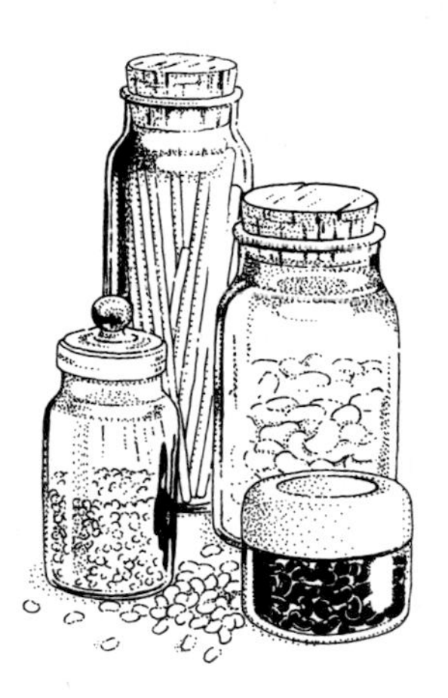

HARICOTS DE LIMA EN RAMEQUINS

100 g de haricots de Lima, ayant trempé dans l'eau froide pendant toute la nuit
25 g de beurre
225 g de poireaux épluchés, lavés et hachés fin
2 gousses d'ail écrasées
une botte de cresson rincé et haché gros
3 blancs d'œufs
sel et poivre fraîchement moulu
une bonne pincée de macis
15 cl de crème fraîche
cresson pour décorer

Ce plat se sert avec du pain bis frais et de la salade ou bien comme accompagnement avec la viande ou du poulet. Il peut être préparé d'avance et servi chaud ou froid. En entrée, servez-le avec une sauce au cresson.

▷ Beurrez ou huilez quatre ramequins.

Égouttez les haricots et mettez dans une grande casserole remplie d'eau fraîche. Portez à ébullition et faites cuire pendant 40 minutes. Égouttez et faites sécher sur du papier absorbant.

Faites fondre le beurre dans une poêle et faites revenir les poireaux et l'ail, sans les faire roussir. Mixez les haricots, les poireaux et le cresson jusqu'à obtention d'un mélange homogène. Incorporez les blancs d'œufs et mixez jusqu'à ce que le mélange soit bien lisse. Salez, poivrez et ajoutez le macis. Pendant que l'appareil est en marche, versez la crème. Ne faites pas tourner l'appareil plus de 20 secondes.

Versez le mélange dans les ramequins. Couvrez avec du papier aluminium et mettez les ramequins dans la cocotte. Couvrez et faites cuire au-dessus de l'eau bouillante pendant 35 minutes.

Démoulez dans quatre assiettes et décorez avec du cresson.

HARICOTS ROUGES ET RIZ LOUISIANE

225 g de haricots rouges secs, ayant trempé dans l'eau pendant 8 heures
25 g de beurre
1 oignon haché fin
4 branches de céleri hachées fin
3 gousses d'ail écrasées
100 g de riz long grain, soigneusement lavé
bouillon de jambon ou de poule
2 cuillères à soupe de persil haché
1 feuille de laurier
10 gouttes de tabasco
sel et poivre fraîchement moulu
450 g de saucisson fumé ou de salami, coupé en petits cubes
persil haché pour décorer

La nourriture est un grand sujet de discussion à la Nouvelle-Orléans.

Ce plat est très apprécié pendant le fameux festival de jazz du mardi gras et est servi avec de la salade et du pain frais.

▷ Égouttez les haricots rouges et mettez-les dans une casserole. Couvrez avec de l'eau froide et faites bouillir pendant 3 minutes, couvrez et faites cuire pendant 45 minutes à feu doux. Égouttez et rincez.

Pendant ce temps, faites fondre le beurre dans une poêle et faites revenir l'oignon, le céleri, l'ail et le riz jusqu'à ce que le riz devienne blanc et que l'oignon soit cuit. Ajoutez suffisamment de bouillon pour que le liquide dépasse le riz de 2,5 cm. Ajoutez les haricots, le persil, le laurier et le tabasco. Mélangez, salez et poivrez. Couvrez et faites cuire à la vapeur pendant 30 minutes. Jetez dans le mélange le saucisson coupé en cubes et faites cuire encore 5 minutes.

Enlevez le laurier et disposez le mélange sur le plat de service préalablement chauffé ; saupoudrez de persil et servez immédiatement.

TIMBALE EXOTIQUE DE FRUITS DE MER

Dans cette recette, vous pouvez utiliser n'importe quel fruit de mer, mais pensez à bien relever, car ils sont parfois assez fades.

225 g de farine levante
100 g de saindoux ou de margarine végétale
1 pincée de sel
eau
25 g de beurre
4 ciboules hachées fin
1 poivron vert épépiné et haché
1 poivron rouge épépiné et haché
50 g de riz complet, cuit
100 g de maïs en grains
100 g de petits pois frais ou congelés
3 cuillères à soupe de persil haché
1 cuillère à café d'aneth frais haché
2 cuillères à soupe de chutney à la mangue
1 cuillère à soupe de curry en poudre
100 g de crevettes cuites décortiquées
75 g de moules sorties de leur coquille
200 g de chair de crabe
sel et poivre fraîchement moulu

▷ Dans une jatte mélangez la farine et le saindoux avec le sel. Quand le mélange devient sableux, ajoutez suffisamment d'eau pour obtenir une pâte souple. Étalez-la sur une surface farinée et garnissez-en un moule de 1,5 litre, après en avoir mis de côté un tiers pour le couvercle.

Faites fondre le beurre dans une casserole et faites revenir les ciboules et les poivrons 5 minutes. Ajoutez le riz, le maïs, les petits pois, les herbes, le chutney et le curry. Incorporez délicatement les fruits de mer. Salez et poivrez et versez dans la timbale. Étalez la pâte du couvercle, mouillez les bords pour bien les faire adhérer, couvrez de papier métallique et attachez avec une ficelle. Faites cuire à la vapeur au-dessus d'eau bouillante 1 heure.

Démoulez et servez bien chaud.

RIZ PILAF

En Inde, le riz pilaf accompagne traditionnellement les curries et les plats tandoori. Il est généralement fait avec du riz basmati qui a un goût particulier. Ce dernier étant toutefois relativement cher, vous pouvez le remplacer par du riz à grains longs.

225 g de riz basmati ayant trempé dans l'eau pendant 20 minutes
1 poivron vert
1 piment rouge
1 cuillère à soupe d'huile d'arachide
1 petit oignon haché fin
2 gousses d'ail écrasées
1/2 cuillère à café de cumin en poudre
1/4 de cuillère à café de curcuma
1/4 de cuillère à café de coriandre en poudre
sel et poivre fraîchement moulu
bouillon de poule ou eau bouillante
feuilles de coriandre pour décorer

▷ Égouttez le riz et rincez-le soigneusement, laissez égoutter en secouant de temps en temps. Épépinez et hachez fin le poivron et le piment. Faites chauffer l'huile dans une poêle et faites revenir l'oignon, l'ail, le poivron et le piment, sans les faire roussir. Incorporez le riz et les épices et faites-les revenir jusqu'à ce que le riz devienne blanc. Salez et poivrez. Versez suffisamment de bouillon pour qu'il dépasse le riz de 2,5 cm. Couvrez et faites cuire à la vapeur pendant 15-20 minutes.

Remuez avec une fourchette. Goûtez et rectifiez l'assaisonnement si nécessaire. Servez chaud, décoré de feuilles de coriandre.

CHAMPIGNONS AU RIZ

1 cuillère à soupe d'huile
4 gros champignons nettoyés, les pieds hachés fin
2 échalotes hachées fin
1 gousse d'ail écrasée
1 piment épépiné et haché fin
7 g de gingembre frais, épluché et râpé
1 cuillère à café de curry en poudre chaud
1/4 de cuillère à café de cumin en poudre
50 g de riz long grain, soigneusement lavé
jus de tomate
sel et poivre fraîchement moulu
persil haché

Ce plat peut être servi avec une salade au déjeuner, il peut constituer le plat principal du dîner ou encore être servi en accompagnement avec du poulet ou du poisson. La recette indiquée ci-dessous ne comporte pas de viande et convient donc parfaitement aux végétariens, mais vous pouvez tout à fait ajouter du poulet ou des crustacés.

▷ Faites chauffer l'huile dans une poêle et faites revenir les pieds des champignons, les échalotes, l'ail, le piment, le gingembre, les épices et le riz jusqu'à ce que le riz devienne blanc et que les échalotes soient cuites.

Versez suffisamment de jus de tomate pour que le liquide dépasse le riz de 2,5 cm. Salez, poivrez, couvrez et faites cuire pendant 15 minutes.

Disposez le riz sur les champignons et mettez-les dans la cocotte. Couvrez et faites cuire à la vapeur au-dessus de l'eau bouillante pendant 5 minutes.

Saupoudrez de persil et servez immédiatement.

JAMBALAYA AU JAMBON ET AUX CREVETTES

La cuisine de Louisiane, et plus particulièrement celle de La Nouvelle-Orléans, est tout à fait originale par rapport au reste des États-Unis. L'influence des Cajuns et des Créoles s'y fait toujours sentir.

1 poivron vert - 1 poivron rouge
50 g de beurre
4 branches de céleri émincées
1 gros oignon émincé
2 gousses d'ail écrasées
100 g de riz long grain
3 cuillères à soupe de persil haché
1 boîte (400 g) de tomates coupées en morceaux
6 gouttes de tabasco
sel et poivre fraîchement moulu
450 g de crevettes décortiquées
450 g de jambon cuit, coupé en gros morceaux
100 g de petits pois

Pour décorer
rondelles de citron
persil à feuilles plates

▷ Épépinez et coupez les poivrons en gros morceaux. Faites fondre le beurre dans une grande casserole et faites revenir les poivrons, le céleri, l'oignon, l'ail et le riz jusqu'à ce que le riz devienne blanc et que l'oignon soit cuit. Ajoutez le persil, les tomates et le tabasco. Mélangez. Salez et poivrez abondamment.

Ajoutez de l'eau de manière à ce que le liquide dépasse le riz de 2,5 cm. Couvrez et faites cuire à la vapeur pendant 15 minutes. Ajoutez les crevettes, le jambon et les petits pois. Couvrez et laissez cuire encore 5 minutes.

Disposez le mélange dans le plat de service préalablement chauffé, décorez avec des rondelles de citrons et du persil et servez immédiatement.

RIZ À LA CHINOISE

4 blancs de poulet
sel et poivre fraîchement moulu
2 cuillères à soupe de sauce au soja
1 cuillère à soupe de vin blanc sec ou de vin de riz
2 cuillères à café de sauce aux huîtres
15 g de gingembre frais épluché et râpé
2 gousses d'ail écrasées
225 g de riz long grain soigneusement lavé
100 g de pousses de bambou en boîte, coupées en rondelles
2 branches de céleri
1/2 chou coupé en morceaux
ciboules pour décorer

Les Chinois sont les spécialistes du riz. Ils en mangent chaque jour en grande quantité, mélangé avec de la viande.

Voici quelques règles à suivre pour cuire le riz à la vapeur. Lavez le riz plusieurs fois de suite en changeant l'eau jusqu'à ce qu'elle soit limpide. Couvrez le riz d'eau de manière à ce que le liquide dépasse le riz de 2,5 cm. Le riz, ainsi, ne sera ni trop cuit, ni collant.

Ne soulevez pas le couvercle au cours de la cuisson, sinon la vapeur s'échappera et le temps de cuisson sera modifié. N'utilisez pas de riz prêt à cuire pour cette recette, sinon vous n'aurez pas le goût d'amidon si caractéristique du riz chinois.

▷ Salez et poivrez les blancs de poulet. Mélangez la sauce au soja, le vin blanc sec ou le vin de riz, la sauce aux huîtres, le gingembre et l'ail et versez le mélange sur le poulet. Laissez mariner pendant 2 heures.

Mettez le riz dans un grand faitout et couvrez d'eau de manière à ce que l'eau dépasse le riz de 2,5 cm. Portez à ébullition. Ajoutez le poulet et la marinade, couvrez et faites cuire à la vapeur à feu très doux pendant 20 minutes. Cinq minutes avant la fin de la cuisson, ajoutez les légumes. Couvrez et laissez cuire encore 5 minutes.

Disposez le mélange dans le plat de service préalablement chauffé et servez très chaud, décoré avec des ciboules.

RISOTTO

50 g de beurre
1 gros oignon haché fin
1 poivron rouge épépiné et coupé en dés
2 gousses d'ail écrasées
450 g de poulet ou de bœuf cuit, coupé en dés
225 g de riz long grain, soigneusement lavé
sel et poivre fraîchement moulu
une pincée de safran
bouillon de poule ou de bœuf
100 g de petits pois frais ou congelés
50 g de parmesan râpé

Le risotto est très facile à préparer et permet d'utiliser tous les restes de viande et de légumes.

Il existe des dizaines et des dizaines de recettes différentes pour ce plat italien. Suivez la recette que je vous indique tout en donnant libre cours à votre imagination.

▷ Faites fondre le beurre dans une grande poêle. Faites revenir l'oignon, le poivron et l'ail, sans les faire roussir. Ajoutez le poulet et le riz et faites-les revenir jusqu'à ce que le riz devienne blanc. Salez et poivrez abondamment et ajoutez le safran. Versez le bouillon en quantité suffisante pour qu'il dépasse le riz de 2,5 cm. Portez à ébullition, couvrez et faites cuire à feu très doux pendant 15 minutes. Ajoutez les petits pois, couvrez et laissez cuire encore 5 minutes.

Ajoutez le parmesan. Goûtez et rectifiez l'assaisonnement si nécessaire. Servez immédiatement.

KEDGEREE

Aussi étonnant que cela puisse paraître, ce classique du petit-déjeuner anglais est en réalité un plat d'origine indienne qui peut être servi aussi bien au déjeuner qu'au dîner.

- 450 g de haddock, sans la peau, ni les arêtes
- 15 cl de lait
- 25 g de beurre
- 1 gros oignon haché fin
- 225 g de riz long grain, soigneusement lavé
- 2 cuillères à café de curry en poudre
- 2 cuillères à soupe de persil haché
- sel et poivre fraîchement moulu
- 4 œufs durs hachés fin
- persil haché pour décorer

▷ Plongez le haddock dans le lait et laissez-le tremper pendant 30 minutes.
Faites fondre le beurre dans une grande poêle et faites revenir l'oignon et le riz jusqu'à ce que le riz devienne blanc et que l'oignon soit cuit. Ajoutez le curry et le persil, salez et poivrez. Ajoutez de l'eau en quantité suffisante pour qu'elle dépasse le riz de 2,5 cm. Portez à ébullition. Égouttez le haddock et mettez-le dans le compartiment supérieur de la cocotte, couvrez et faites cuire à la vapeur au-dessus du riz pendant 15-20 minutes. Émiettez le haddock. Vérifiez que le riz soit bien tendre et incorporez délicatement le haddock et les œufs hachés. Goûtez et rectifiez l'assaisonnement si nécessaire. Disposez le riz et le haddock sur le plat de service préalablement chauffé et saupoudrez de persil haché.

PILAF BOKARI

Ce plat nourrissant est délicieux et rapide à préparer.
Vous pouvez utiliser du riz basmati ou bien du riz à grains longs. Ce plat permet de finir tous les vieux restes de légumes. Utilisez ce que vous avez sous la main et suivez la recette indiquée ci-dessous.

- 450 g de foies de volaille, lavés et dénervés
- sel et poivre fraîchement moulu
- 1 cuillère à soupe d'huile
- 1 gros oignon émincé
- 1 petit poireau haché fin
- 225 g de riz blanc
- 1/2 cuillère à café de curcuma
- 1 boîte (200 g) de tomates
- 2 cuillères à soupe de persil haché
- 30 cl de bouillon de poule
- 100 g de champignons lavés et coupés en lamelles
- 100 g de petits pois congelés

Pour décorer
- tomates coupées en rondelles
- persil à feuilles plates

▷ Salez et poivrez les foies de volaille. Faites chauffer l'huile dans une poêle et faites revenir l'oignon et le poireau jusqu'à ce qu'ils soient cuits, mais sans les faire roussir. Ajoutez le riz et faites-le revenir jusqu'à ce qu'il devienne blanc.
Mélangez le curcuma, les tomates et le persil et incorporez-les au riz. Portez le bouillon à ébullition et versez-le sur le riz de manière à ce qu'il dépasse le riz de 2,5 cm. Couvrez et faites cuire à la vapeur pendant 15 minutes. Ajoutez les champignons, les petits pois et les foies de volaille, couvrez et laissez cuire encore 5-8 minutes. Salez et poivrez.
Disposez le mélange sur le plat de service préalablement chauffé et décorez avec des rondelles de tomates et du persil. Servez immédiatement.

PAIN AU MAÏS

1 cuillère à soupe d'huile d'olive
1 petit oignon haché fin
175 g de farine de blé tamisée
175 g de farine de maïs
2 cuillères à café de levure
sel et poivre fraîchement moulu
2 œufs battus
1 cuillère à soupe de miel liquide
30 cl de lait
50 g de gruyère râpé
2 cuillères à soupe de ciboulette hachée

La farine de maïs, ou polenta, est souvent utilisée en cuisine. Elle se reconnaît à sa couleur jaune vif et à son goût de noisette.

Ce pain délicieux peut accompagner de nombreux plats ou bien se manger chaud avec du beurre. Pour faire du pain sucré, supprimez le fromage et la ciboulette ; ajoutez des fruits secs et du sucre.

▷ Beurrez un moule à cake de 500 g. Faites chauffer l'huile dans une poêle et faites revenir l'oignon jusqu'à ce qu'il soit cuit, mais sans le faire roussir. Mettez les farines, la levure, le sel et le poivre dans un grand récipient.

Dans un autre récipient, mélangez les œufs, le miel, le lait, le fromage et la ciboulette. Incorporez ce mélange à la farine et ajoutez les oignons. Mélangez bien pour obtenir une pâte épaisse et onctueuse.

Versez le mélange dans le moule. Couvrez avec du papier aluminium ou du papier sulfurisé, maintenu en place avec un morceau de ficelle. Faites cuire à la vapeur au-dessus de l'eau bouillante pendant 1 heure. *Vérifiez régulièrement le niveau du liquide et ajoutez de l'eau bouillante si nécessaire.*

Enlevez le papier aluminium, démoulez le pain sur une grille et laissez-le refroidir. Servez chaud avec du beurre.

CONSEILS

▷ Sous l'influence de certaines cuisines exotiques, le répertoire des recettes utilisant des céréales est de plus en plus riche et offre de nouvelles possibilités culinaires. La polenta est obtenue à partir du maïs jaune ou blanc. Elle est utilisée depuis longtemps aux États-Unis pour faire du pain, ainsi que les fameuses crêpes servies au petit déjeuner.

Une autre céréale que l'on trouve dans les magasins de produits diététiques est le bulghur. Ce sont des grains de blé qui

sont broyés entre deux rouleaux, avant d'être décortiqués et cuits à moitié. Cette semoule est utilisée entre autres dans le fameux taboulé du Moyen-Orient. Découvrez-la en essayant le ragoût de pois chiches et de bulghur page 108.

De haut en bas : *ragoût de pois chiches et de bulghur (page 108) ; ravioli à la napolitaine*

TOURTE AU MAÏS

25 g de beurre
700 g de bœuf maigre haché
1 oignon haché fin
1 carotte hachée fin
2 branches de céleri hachées
15 cl de bouillon de bœuf
1 feuille de laurier
2 cuillères à café de sauce Worcestershire
2 cuillères à soupe de ketchup
sel et poivre fraîchement moulu

Pâte

1 cuillère à soupe d'huile d'olive
1 oignon haché fin
2 gousses d'ail écrasées
75 g de farine de blé
75 g de farine de maïs
1 1/2 cuillère à café de levure
une pincée de sel
1 cuillère à soupe de sucre
1 œuf - 15 cl de lait
50 g de gruyère râpé
2 cuillères à soupe de persil

Le mélange à base de viande hachée peut être préparé d'avance et congelé, par contre le dessus doit être fait à la dernière minute.

▷ Faites fondre le beurre dans une poêle et faites dorer la viande hachée. Ajoutez l'oignon, la carotte et le céleri et faites revenir le tout encore 5 minutes. Ajoutez le bouillon, le laurier, la sauce Worcestershire et le ketchup. Salez et poivrez abondamment. Couvrez et laissez mijoter pendant 15 minutes.

Pendant ce temps, préparez la pâte. Faites chauffer l'huile et faites revenir l'oignon et l'ail jusqu'à ce qu'ils soient cuits, mais sans les faire roussir. Mettez les farines, la levure, le sel et le sucre dans un récipient. Dans un autre récipient, mélangez l'œuf, le lait, le gruyère et le persil. Incorporez ce mélange aux farines et ajoutez l'oignon et l'ail. Mélangez pour obtenir une pâte lisse. Versez la viande hachée dans un moule à charlotte de 1 l et versez la pâte par-dessus. Couvrez avec du papier aluminium ou du papier sulfurisé, maintenu en place avec un morceau de ficelle.

Mettez le moule dans la cocotte ou dans un faitout couvert, rempli d'eau bouillante à mi-hauteur, et faites cuire pendant 35 minutes. Enlevez le papier aluminium et servez immédiatement.

RAGOÛT DE POIS CHICHES ET DE BULGHUR

225 g de pois chiches, ayant trempé toute la nuit
50 g de beurre
1 gros oignon émincé
2 gousses d'ail écrasées
2 branches de céleri hachées fin
4 petites carottes coupées en rondelles
2 poireaux épluchés, lavés et coupés en rondelles
4 navets épluchés et coupés en quatre ou en cubes
100 g de bulghur lavé
1 boîte (400 g) de tomates coupées en morceaux
2 cuillères à soupe de ciboulette hachée
une pincée de thym
sel et poivre fraîchement moulu
ciboulette haché pour décorer

Ce plat est idéal pour les végétariens, car très riche en protéines et en minéraux. J'y ajoute parfois des morceaux de poulet ou d'agneau désossés. Le bulghur est tout simplement du blé qui a été cuit à moitié et séché. Il a un goût de noisette et peut remplacer le riz ; il peut également être servi en salade, après avoir trempé dans l'eau pendant un certain temps.

▷ Mettez les pois chiches dans une grande casserole d'eau bouillante, faites bouillir rapidement pendant 10 minutes, puis laissez mijoter pendant 1 heure.

Pendant ce temps, faites fondre le beurre dans une poêle. Faites revenir l'oignon, l'ail, le céleri, les carottes, les poireaux et les navets pendant 5 minutes. Ajoutez le bulghur, les tomates et les herbes. Portez à ébullition. Salez et poivrez. Versez dans un moule à charlotte et mettez le moule dans la cocotte. Couvrez et faites cuire à la vapeur au-dessus des pois chiches pendant 35-40 minutes. Dès que les pois chiches sont tendres, mélangez-les avec les tomates. Goûtez et rectifiez l'assaisonnement si nécessaire.

Disposez dans le plat de service préalablement chauffé et décorez avec la ciboulette.

COUSCOUS

Le couscous est un plat d'Afrique du Nord comprenant la marga, c'est-à-dire un pot-au-feu contenant la viande et les légumes, et le couscous lui-même qui est de la semoule cuite à la vapeur. A l'origine, le couscous était fait dans un couscoussier ; si vous n'en avez pas, vous pouvez utiliser un grand faitout avec un panier ou une passoire.

3 cuillères à soupe d'huile d'olive
1 kg d'agneau à braiser, coupé en cubes
1 poulet (1,750 kg) coupé en huit
1 gros oignon haché gros
une pincée de safran
un petit bâton de cannelle
450 g de tomates épluchées, épépinées et coupées en morceaux
450 g de carottes coupées en quatre
100 g de pois chiches ayant trempé toute la nuit
2 piments épépinés et hachés
1 chou lavé et coupé en quatre
2 gros navets épluchés et coupés en rondelles
225 g de potiron épluché et coupé en cubes
4 grosses courgettes coupées en grosses rondelles
2 cuillères à soupe de raisins secs
2 cuillères à café de coriandre fraîche hachée
1 cuillère à café de poivre de Cayenne
sel et poivre fraîchement moulu
500 g de couscous
sauce harissa
100 g de beurre fondu
coriandre pour décorer

▷ Faites chauffer l'huile dans une grande poêle et faites dorer les morceaux d'agneau de chaque côté. Mettez la viande dans un faitout ou dans le compartiment inférieur du couscoussier. Faites dorer les morceaux de poulet dans la même poêle et posez-les sur les morceaux d'agneau. Faites dorer l'oignon et mélangez-le avec les morceaux d'agneau et de poulet. Couvrez avec de l'eau. Portez à ébullition en écumant régulièrement et en rajoutant de l'eau si nécessaire. Ajoutez le safran, la cannelle, les tomates et les carottes. Égouttez les pois chiches et rincez-les sous l'eau froide. Incorporez-les à la viande et aux légumes. Couvrez et laissez mijoter doucement pendant 1 h 1/2-2 h (si ce plat est fait d'avance et qu'il a refroidi, enlevez la graisse qui s'est solidifiée). Ajoutez les piments, le chou, les navets, le potiron, les courgettes, les raisins secs, la coriandre et le poivre de Cayenne. Salez et poivrez.

Mettez le couscous dans une bassine d'eau froide et laissez-le tremper pendant 15 minutes. Enlevez les os de la viande et remettez-la dans le faitout.

Tapissez la cocotte ou la passoire ou le compartiment supérieur du couscoussier avec de la mousseline. Égouttez le couscous et mettez-le sur la mousseline. Faites bouillir la viande et les légumes et mettez le couscous par-dessus en coinçant entre les deux une serviette pour empêcher la vapeur de sortir. Couvrez et faites cuire à la vapeur pendant 30 minutes.

Plongez le couscous dans une casserole d'eau froide et égrenez-le avec une fourchette. Égouttez soigneusement.

Mélangez 1 cuillère à soupe de sauce harissa avec 30 cl de bouillon. Faites chauffer en remuant.

Disposez le couscous dans le plat de service préalablement chauffé et versez le beurre fondu par-dessus. Disposez les morceaux d'agneau et de poulet sur le couscous. Décorez avec des feuilles de coriandre. Versez le restant de viande, de légumes et de pois chiches dans un autre plat préalablement chauffé et servez séparément.

Mettez la sauce harissa sur la table pour ceux qui voudraient en rajouter.

Pour 8 personnes.

DESSERTS ET ENTREMETS

Si vous ne voulez manger ni gâteaux, ni sucreries, ni entremets, que pouvez-vous proposer à votre famille et à vos invités ? La solution la plus simple est de leur donner des fruits frais de saison. Aujourd'hui, grâce aux nombreux fruits exotiques importés en hiver, comme les mangues, les fruits de la passion et les kiwis, on a toujours un grand choix de fruits colorés et frais. Aussi, dans bon nombre de mes recettes, ai-je fait en sorte que vous puissiez remplacer les fruits indiqués par les fruits de votre choix. Avec un peu d'imagination, ce chapitre vous donnera des idées pour tirer profit au maximum des fruits frais et secs. Pour ceux et celles qui se sentiraient frustrés, il y a bien sûr quelques recettes de bons gâteaux bien riches et bien nourrissants ! Après tout, rien ne nous interdit de nous offrir un bon festin une fois de temps en temps !

Gâteau aux fruits exotiques (page 120)

BRUGNONS NAPPÉS D'UN COULIS DE MELON ET D'ABRICOTS

Si ce n'est pas la saison des abricots, utilisez des abricots en conserve coupés en deux. J'ai choisi le melon charentais à cause de sa belle couleur orange, mais vous pouvez utiliser n'importe quelle autre variété. Si vous choisissez un melon d'eau, divisez la quantité par deux.

1 orange
1 citron
1/2 melon charentais, sans l'écorce, épépiné et coupé en gros morceaux
6 abricots frais épluchés, dénoyautés et coupés en gros morceaux
50 g d'amandes pilées
3 gouttes d'essence d'amandes
1 cuillère à soupe de sucre
4 brugnons coupés en deux et dénoyautés
Pour décorer
25 g d'amandes effilées grillées
écorce d'orange et de citron coupée en fines lamelles

▷ Épluchez la moitié de l'orange et la moitié du citron et coupez l'écorce en fines lamelles. Faites-les blanchir pendant 20 secondes et mettez de côté.

Portez à ébullition les morceaux de melon et d'abricots et le jus de l'orange et du citron. Laissez mijoter pendant 10 minutes. Ajoutez les amandes, l'essence d'amandes et le sucre. Passez le tout au mixeur jusqu'à obtention d'un mélange onctueux.

Mettez les brugnons dans un récipient et versez le mélange par-dessus. Couvrez avec du papier aluminium et mettez le récipient dans la cocotte. Couvrez et faites cuire à la vapeur au-dessus de l'eau bouillante pendant 15 minutes.

Enlevez le papier aluminium et disposez les brugnons sur les assiettes chaudes. Passez la sauce et versez-la sur les brugnons. Décorez avec les amandes effilées et l'écorce d'orange et de citron coupée en fines lamelles. Servez chaud ou froid.

KIWIS AUX GROSEILLES ET AUX FRAMBOISES

Cette recette est idéale pour celles dont le jardin regorge de groseilles à maquereau et de framboises. Ces deux fruits se mélangent très bien et complètent agréablement le goût raffiné du kiwi.

Vous pouvez bien sûr utiliser d'autres fruits, mais choisissez-les bien mûrs. Les fruits congelés ou en conserve conviennent également.

225 g de groseilles à maquereau épluchées
225 g de framboises
zeste râpé et jus de 1/2 citron
25 g de sucre
jus de 1 orange
2 cuillères à soupe de liqueur de framboise ou de kirsch
6 kiwis épluchés et coupés en rondelles
4 brins de menthe

▷ Mettez les groseilles, les framboises, le zeste et le jus de citron, le sucre et le jus d'orange dans une casserole. Portez à ébullition et laissez mijoter pendant 10 minutes en remuant de temps en temps.

Mixez le mélange, puis passez-le pour enlever les pépins. Ajoutez la liqueur. Découpez quatre feuilles de papier aluminium de 25 cm de côté et répartissez le mélange entre elles. Garnissez de rondelles de kiwis et de menthe. Repliez les bords de chaque feuille et fermez. Faites cuire à la vapeur au-dessus de l'eau bouillante pendant 5 minutes.

Servez dans le papier aluminium avec du fromage frais ou du yaourt nature.

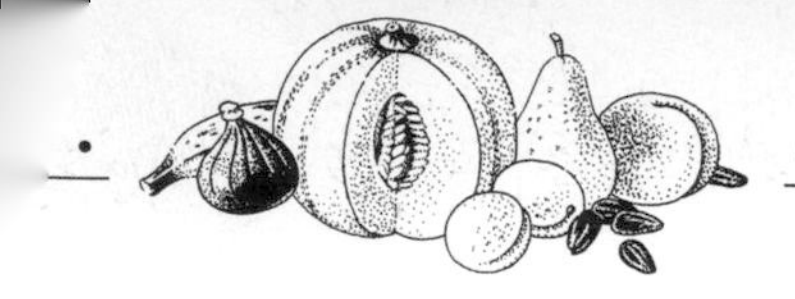

BANANES SURPRISE

2 oranges
225 g de fraises épluchées
4 gouttes d'essence de vanille
2 cuillères à soupe de liqueur de framboise ou de fraise
4 grosses bananes coupées en deux dans le sens de la longueur
4 grosses prunes rouges, dénoyautées et coupées en gros morceaux
4 abricots dénoyautés et coupés en gros morceaux
menthe

Choisissez des fruits bien mûrs. Mis à part les bananes, vous pouvez remplacer les fruits indiqués par les fruits de votre choix.

▷ Épluchez les oranges et coupez l'écorce en fines lamelles. Faites blanchir les lamelles pendant 10 secondes et réservez. Ôtez les peaux blanches et enlevez délicatement les quartiers d'orange. Enlevez les pépins.

Mixez les quartiers d'orange, le jus et les fraises jusqu'à obtention d'un mélange homogène. Ajoutez l'essence de vanille et la liqueur.

Découpez quatre feuilles de papier aluminium de 30 cm de côté et versez 2-3 cuillères à café du mélange sur chaque feuille ; disposez par-dessus les bananes, les prunes et les abricots. Garnissez avec la menthe et l'écorce d'orange coupée en lamelles. Repliez les bords des feuilles et fermez.

Faites cuire à la vapeur au-dessus de l'eau bouillante pendant 3 minutes et servez dans le papier aluminium avec du fromage frais sucré ou du fromage blanc.

POIRES AU VIN

zeste râpé et jus de 2 citrons
30 cl de vin rouge
1 bâton de cannelle
1/2 cuillère à café de quatre-épices en poudre
2 gouttes d'essence de vanille
75 g de sucre en poudre
4 poires bien fermes épluchées et évidées, avec la queue
1/2 cuillère à café d'arrow-root
2 morceaux d'angélique ayant trempé dans l'eau

Pour cette recette, vous pouvez utiliser aussi bien la poire Conférence, longue et mince, que la Comice, large et ovale, que la Williams de taille moyenne.

Quelle que soit la variété choisie, essayez d'acheter des poires de la même taille et de la même forme, de manière à ce que votre plat soit bien présenté. Les poires s'écrasent facilement ; aussi je vous conseille d'enlever le cœur avant de les éplucher et de les arroser de jus de citron pour les empêcher de noircir. Ce dessert peut être préparé d'avance, car il se sert froid.

▷ Mettez le zeste et le jus de citron dans une casserole avec le vin, le bâton de cannelle, le quatre-épices, l'essence de vanille et le sucre. Portez à ébullition en mélangeant souvent jusqu'à ce que le sucre se soit dissous.

Mettez les poires déjà préparées dans un récipient et versez le mélange par-dessus. Couvrez avec du papier aluminium, maintenu en place avec un morceau de ficelle.

Mettez le récipient dans la cocotte ou dans un faitout couvert, rempli d'eau bouillante à mi-hauteur, et faites cuire pendant 30-40 minutes. *Vérifiez le niveau du liquide et ajoutez de l'eau bouillante si nécessaire.*

Laissez les poires refroidir dans le vin rouge. Dès qu'elles sont froides, enlevez le bâton de cannelle. Dressez les poires dans le plat de service. Faites réduire le vin rouge en le faisant bouillir, de manière à obtenir 15 cl de liquide. Mélangez l'arrow-root avec un peu de jus. Versez dans la casserole, portez à ébullition et laissez mijoter pendant 2-3 minutes en remuant constamment. Laissez refroidir. Égouttez l'angélique et faites-la sécher sur du papier absorbant. Découpez plusieurs morceaux d'angélique et enfoncez-en deux dans chaque poire de chaque côté de la queue. Passez la sauce au vin au-dessus des poires.

FIGUES AUX ORANGES

Essayez de trouver des figues fraîches. Si cela vous est vraiment impossible, utilisez des figues sèches et mettez-les à tremper dans du jus d'orange pendant 1 heure.

▷ Épluchez trois oranges et coupez l'écorce en petits morceaux. Mettez de côté. Pressez le jus de ces oranges. Épluchez les autres oranges, enlevez la peau blanche et détachez délicatement les quartiers. Enlevez les pépins. S'il vient du jus, ajoutez-le au jus déjà pressé. Passez-le au-dessus d'une casserole. Ajoutez une cuillère de sirop de grenadine et une cuillère de cointreau. Mettez les morceaux d'écorce d'orange dans une casserole avec le restant de grenadine et l'eau. Faites bouillir jusqu'à ce que tout le liquide se soit évaporé et que les morceaux d'écorce soient devenus roses. Enlevez ces derniers et faites-les sécher sur du papier absorbant.

Mettez une feuille de papier sulfurisé humide au fond de la cocotte. Disposez les figues entières et les quartiers d'oranges par-dessus. Couvrez et faites cuire à la vapeur au-dessus du jus d'orange en ébullition pendant 3-5 minutes. Pendant ce temps, mettez le sucre en poudre dans une assiette et enrobez de sucre les morceaux d'écorce. Tenez les fruits au chaud pendant que vous finissez la sauce.

Faites bouillir la sauce pour la réduire de moitié. Enlevez du feu. Ajoutez le fromage frais ou le fromage blanc. Versez la sauce dans quatre assiettes. Disposez les fruits par-dessus et décorez avec les morceaux d'écorce d'orange.

6 oranges sanguines
3 cuillères à soupe de sirop de grenadine
1 cuillère à soupe de cointreau
4 cuillères à soupe d'eau
12 figues fraîches entières
1 cuillère à soupe de sucre en poudre
100 g de fromage frais ou de fromage blanc

POMMES AU CALVADOS

Ce dessert qui peut se servir en toute saison est volontairement parfumé avec une liqueur de fruit ; vous pouvez la remplacer par du cognac, si vous préférez. Les pommes peuvent être remplacées par des poires.

▷ Portez à ébullition le calvados, le jus d'orange, le jus de citron, la liqueur de framboise et le miel, en mélangeant bien. Épluchez les pommes et enlevez le cœur. Mettez-les dans un récipient et versez dessus le mélange à base de calvados. Couvrez avec du papier aluminium et mettez le récipient dans la cocotte. Couvrez et faites cuire à la vapeur au-dessus de l'eau bouillante pendant 15 minutes.

Pendant ce temps, préparez la crème à la vanille. Portez à ébullition le lait, le sucre et la gousse de vanille. Battez les jaunes d'œufs dans un bol et versez dessus un peu de lait en remuant constamment. Versez le mélange dans la casserole. Faites chauffer à feu doux jusqu'à ce que la crème ait épaissi, *mais sans faire bouillir*. Incorporez le fromage frais ou le fromage blanc.

Enlevez les pommes du mélange à base de calvados et disposez-les sur le plat de service. Mélangez l'arrow-root avec 2 cuillères à soupe du mélange, versez le calvados dans une casserole et ajoutez l'arrow-root. Faites bouillir, en remuant constamment, jusqu'à ce que le mélange ait épaissi. Versez la sauce sur les pommes et décorez avec de la menthe. Servez chaud ou froid avec la crème à la vanille.

5 cl de calvados
jus de 1 orange
jus de 1 citron
1 cuillère à soupe de liqueur de framboise
1 cuillère à soupe de miel liquide
4 pommes Granny Smith

Crème à la vanille

30 cl de lait écrémé
2 cuillères à soupe de sucre
1 gousse de vanille ou quelques gouttes d'essence de vanille
2 jaunes d'œufs
100 g de fromage frais ou de fromage blanc
1/4 de cuillère à café d'arrow-root
menthe pour décorer

SALADE DE FRUITS FOLLE

45 cl de Sauternes
12 grosses prunes
12 figues sèches
8 rondelles de pommes sèches
8 abricots secs
Crème à l'abricot
225 g d'abricot secs
1 bâton de cannelle
15 cl de jus d'orange
100 g de fromage frais ou de fromage blanc
écorce de 1/2 orange coupée en fines lamelles

Si vous ne trouvez pas de Sauternes ou s'il est trop cher, utilisez du vin blanc doux de qualité moyenne et ajoutez une cuillère à soupe de sucre. Au lieu de courir partout pour trouver les différents fruits, achetez des paquets de fruits secs mélangés.

▷ Faites bouillir le Sauternes pour le réduire de moitié. Mettez-le dans un récipient avec les fruits et couvrez avec du papier aluminium. Faites cuire à la vapeur au-dessus de l'eau bouillante pendant 15 minutes. *Vérifiez régulièrement le niveau du liquide et ajoutez de l'eau bouillante si nécessaire.* Pendant ce temps, préparez la crème à l'abricot. Mettez les abricots, le bâton de cannelle et le jus d'orange dans une feuille de papier aluminium en forme de tasse et refermez délicatement. Mettez ce mélange dans la cocotte à côté des autres fruits et faites cuire à la vapeur pendant 10 minutes.

Enlevez le bâton de cannelle. Mixez les abricots, le jus d'orange avec le fromage frais ou le fromage blanc jusqu'à obtention d'un mélange onctueux. Faites blanchir l'écorce d'orange coupée en lamelles dans le compartiment inférieur de la cocotte pendant 20 secondes. Laissez refroidir dans l'eau froide.

Versez la crème à l'abricot dans les assiettes. Enlevez le papier aluminium du récipient contenant les fruits. Disposez les fruits sur la crème et décorez avec l'écorce coupée en lamelles.

CLAFOUTIS AUX FRUITS

Vous pouvez utiliser les fruits de votre choix, mais veillez à laisser entiers les petits fruits si vous ne les dénoyautez pas.

▷ Lavez et faites sécher les fruits. Mettez-les dans un récipient pouvant entrer dans la cocotte. Saupoudrez de sucre.

Mettez tous les ingrédients de la pâte dans un récipient, sauf le blanc d'œuf. Mélangez de manière à obtenir une pâte lisse. Battez le blanc en neige très ferme et incorporez-le délicatement au mélange.

Étalez le mélange sur les fruits et saupoudrez d'amandes grillées. Couvrez avec du papier aluminium maintenu en place avec un morceau de ficelle. Mettez le récipient dans une casserole d'eau bouillante ou dans la cocotte, couvrez et faites cuire à la vapeur pendant 15 minutes.

Enlevez le papier aluminium et servez avec de la crème fraîche ou du yaourt.

225 g de cerises noires
225 g d'abricots coupés en quatre
225 g de prunes noires et rouges coupées en quatre
2 nectarines épluchées et coupées en petits morceaux
225 g de prunes de Damas
25 g de sucre
75 g d'amandes grillées, hachées gros

Pâte

175 g de farine à poudre levante
26 g d'amandes pilées
1 cuillère à café de levure
25 g de sucre en poudre
4 gouttes d'essence d'amandes
15 cl de lait
1 blanc d'œuf - 1 jaune d'œuf

FRUITS AU CHAMPAGNE ET BISCUITS AUX AMANDES

Biscuits
2 blancs d'œufs
50 g de sucre en poudre
75 g d'amandes pilées
16 demi-amandes douces
Fruits
225 g de fraises épluchées et coupées en quatre
225 g de framboises
100 g de groseilles rouges épluchées
100 g de cassis épluché
100 g de mûres épluchées
25 g de sucre en poudre
jus de 1 citron
25 cl de champagne frais

Si vous déjeunez dehors par une belle journée d'été, pourquoi ne pas terminer le repas par ce délicieux assortiment de fruits arrosé de champagne !

▷ Commencez par faire les biscuits. Battez les blancs en neige ferme, ajoutez 2 cuillères à café de sucre en continuant à battre. Incorporez le restant de sucre et les amandes pilées. Remplissez une poche à douille avec le mélange et formez des petits tas de la taille d'une grosse noix sur du papier siliconé. Déposez une demi-amande sur chaque petit tas. Faites cuire à four moyen (180 °C, gaz 4) pendant 20 minutes jusqu'à ce que les biscuits soient dorés. Laissez-les refroidir sur une grille et enfermez-les dans une boîte en fer.

Mélangez les fruits dans un moule à charlotte. Ajoutez la moitié du sucre et la moitié du jus de citron. Laissez macérer pendant 10 minutes. Pendant ce temps, versez le restant du sucre dans une grande assiette. Plongez les bords de quatre coupes à dessert en verre dans le jus de citron restant, secouez pour éliminer le surplus et plongez chaque coupe dans le sucre. Couvrez le moule à charlotte avec du papier aluminium, maintenu en place avec un morceau de ficelle. Mettez-le dans la cocotte ou dans un faitout couvert, rempli d'eau bouillante à mi-hauteur, et faites cuire à la vapeur pendant 3-5 minutes.

Versez les fruits dans les coupes, en prenant soin de ne pas abîmer les bords givrés, et versez le champagne par-dessus. Servez avec les biscuits aux amandes.

CRÈME BRÛLÉE

45 cl de crème fraîche
4 jaunes d'œufs
2 cuillères à soupe de sucre en poudre
4 gouttes d'essence de vanille
2-3 cuillères à soupe de cassonade

La crème brûlée est de la crème anglaise cuite dans laquelle le lait a été remplacé par de la crème fraîche. La crème anglaise ne doit pas être exposée à une chaleur trop forte, ni être trop cuite, sinon elle risque de tourner. Faites-la cuire à la vapeur à feu doux et utilisez le minuteur pour ne pas dépasser le temps de cuisson. La crème brûlée doit être faite le matin pour le soir ou même la veille.

▷ Beurrez quatre ramequins. Faites chauffer la crème fraîche sans la faire bouillir. Pendant ce temps, mélangez les jaunes d'œufs et le sucre dans un récipient. Versez la crème fraîche par-dessus et mélangez bien. Passez la crème et ajoutez l'essence de vanille. Versez la crème dans les ramequins et mettez-les dans la cocotte. Faites cuire à la vapeur au-dessus de l'eau frémissante pendant 10 minutes.

Laissez refroidir au réfrigérateur pendant au moins 4 heures.

Faites chauffer le grill. Saupoudrez les ramequins de cassonade et faites-les dorer en les tournant de temps en temps. Le sucre doit être caramélisé uniformément. Laissez refroidir au réfrigérateur, pour que le dessus durcisse.

CRÈME AUX PÊCHES ET AU CARAMEL

Ce dessert se compose d'une jolie crème orangée nappée de caramel noir. Si ce n'est pas la saison des pêches utilisez des pêches en conserve. La crème ne doit pas trop chauffer au cours de la cuisson, sinon les œufs risquent de prendre.

100 g de sucre cristallisé
4 cuillères à soupe d'eau froide
60 cl de lait
3 gouttes d'essence d'amandes
25 g de maïzena
4 œufs
4 jaunes d'œufs
3 cuillères à soupe de sucre en poudre
zeste râpé de 1 citron
2 pêches bien mûres, épluchées et dénoyautées

▷ Mettez le sucre cristallisé dans une casserole à fond épais avec l'eau. Faites fondre le sucre à feu doux, puis faites-le bouillir jusqu'à ce qu'il se caramélise. Versez le caramel dans un moule à charlotte de 1 l. Portez à ébullition le lait et l'essence d'amandes. Pendant ce temps, mélangez la maïzena, les œufs, les jaunes d'œufs, le sucre en poudre et le zeste de citron jusqu'à obtention d'une pâte lisse. Versez progressivement le lait en mélangeant bien.

Rincez la casserole. Tout en réservant la moitié d'une pêche pour la décoration, passez les pêches au mixeur et incorporez-les à la crème. Passez le mélange au-dessus de la casserole propre et faites chauffer, sans faire bouillir, en mélangeant bien jusqu'à obtention d'une crème épaisse. Versez la crème sur le caramel. Couvrez le moule avec du film alimentaire et mettez-le dans la cocotte. Couvrez et faites cuire au-dessus de l'eau frémissante pendant 1-1 h 1/4.

Au bout de 45 minutes, vérifiez tous les quarts d'heure si la crème a pris (*elle ne doit pas chauffer trop, ni être trop cuite*). Dès que la crème a pris, enlevez-la de la cocotte et laissez-la refroidir. Avant de servir, passez un couteau le long des parois du moule et démoulez sur le plat de service. S'il reste du caramel, versez-le sur la crème. Coupez la demi-pêche en fines rondelles, posez-les tout autour de la crème.

GÂTEAU FOURRÉ AUX BANANES ET AUX NOIX

Ce gâteau bien moelleux se sert avec une tasse de thé ou bien avec des bananes coupées en morceaux et de la crème anglaise.

100 g de beurre ramolli
100 g de sucre en poudre
2 œufs battus
2 grosses bananes bien mûres, écrasées à la fourchette
100 g de farine à poudre levante
50 g de noix hachées gros

Crème à la banane

2 bananes
50 g de sucre en poudre
jus de 1 citron
100 g de fromage blanc
4 cuillères à soupe de crème fraîche
50 g de noix hachées fin
sucre glace

▷ Beurrez un moule à cake de 500 g. Travaillez le beurre et le sucre en poudre jusqu'à obtention d'une crème légère. Ajoutez les œufs un par un en remuant bien entre chaque. Ajoutez les bananes et incorporez délicatement la farine et les noix.

Versez le mélange dans le moule. Couvrez avec du papier aluminium beurré ou du papier sulfurisé, maintenu en place avec un morceau de ficelle. Mettez le moule dans le compartiment supérieur de la cocotte et faites cuire à la vapeur au-dessus de l'eau bouillante pendant 1 h 1/2-2 h. *Vérifiez régulièrement le niveau du liquide et ajoutez de l'eau bouillante si nécessaire.* Démoulez et laissez refroidir sur une grille.

Pour faire la crème, mélangez les bananes, le sucre, le jus de citron, le fromage blanc, la crème fraîche et les noix dans un récipient.

Coupez le gâteau horizontalement en deux et garnissez l'intérieur de crème. Saupoudrez le dessus de sucre glace.

GÂTEAU AU GINGEMBRE NAPPÉ DE CARAMEL AU BEURRE

115 g de beurre ramolli
100 g de sucre roux
2 œufs battus
25 g de gingembre confit, haché fin
2 cuillères à soupe de mélasse
1/2 cuillère à café de bicarbonnate de soude
2 cuillères à soupe de lait
225 g de farine tamisée
1/2 cuillère à café de gingembre en poudre

Caramel au beurre

100 g de sucre cristallisé
50 g de beurre
2 cuillères à soupe d'eau
4 cuillères à soupe de fromage frais ou de fromage blanc

Ce gâteau n'étant peut-être pas aussi bon pour la santé que les autres gâteaux figurant dans ce chapitre, mieux vaut le garder pour les grandes occasions. Il peut être fait une semaine d'avance et conservé dans une boîte en fer ; il suffit de le réchauffer à la vapeur.

▷ Beurrez quatre ramequins avec 15 g de beurre. Travaillez le restant de beurre et le sucre jusqu'à obtention d'une crème légère. Ajoutez les œufs un par un, en mélangeant bien entre chaque. Incorporez le gingembre confit et la mélasse. Mélangez le bicarbonate de soude avec le lait et mettez de côté. Incorporez la farine tamisée et le gingembre en poudre et ajoutez le lait et le bicarbonate de soude.

Répartissez le mélange dans les quatre ramequins. Couvrez avec du papier aluminium froissé, maintenu en place avec un morceau de ficelle. Mettez les ramequins dans la cocotte. Couvrez et faites cuire à la vapeur au-dessus de l'eau bouillante pendant 30 minutes. *Vérifiez régulièrement le niveau du liquide et ajoutez de l'eau bouillante si nécessaire.*

Pendant ce temps, préparez le caramel. Faites fondre le sucre dans une casserole à feu moyen. Mélangez jusqu'à ce que le sucre fonde et se caramélise. A feu doux, ajoutez le beurre et l'eau, en mélangeant jusqu'à ce que le beurre ait fondu. Laissez refroidir pendant 5 minutes. Incorporez le fromage frais ou le fromage blanc. Tenez au chaud au-dessus d'une casserole d'eau chaude, *sans faire bouillir*.

Avant de servir, enlevez le papier aluminium et démoulez les ramequins dans quatre assiettes chaudes. Nappez de caramel au beurre et servez immédiatement.

GÂTEAU AUX CAROTTES ET AUX PACANES

5 cuillères à soupe de miel liquide
100 g de pacanes, hachées gros
2 cuillères à café de chapelure blanche
225 g de farine à poudre levante
1 cuillère à café de cannelle en poudre
100 g de beurre
100 g de sucre
225 g de carottes râpées fin

Une fois cuites, les carottes, comme les bananes, donnent un délicieux gâteau riche en vitamine C. J'ai choisi pour cette recette les pacanes, variété de noix provenant d'un noyer qui pousse en Amérique du Nord. Si vous n'en trouvez pas, remplacez-les par des noix.

▷ Beurrez un moule à cake de 500 g. Mélangez la moitié du miel et la moitié des noix avec la chapelure. Versez le mélange dans le moule.

Tamisez le farine et la cannelle dans un récipient. Faites fondre le beurre, le restant de miel et le sucre dans une casserole et mélangez le tout avec la farine. Ajoutez les carottes et le restant de noix. Mélangez bien et versez le mélange dans le moule. Couvrez avec du papier aluminium beurré et froissé, maintenu en place avec un morceau de ficelle. Faites cuire à la vapeur au-dessus de l'eau bouillante pendant 1 heure.

Enlevez le papier aluminium. Démoulez le gâteau sur le plat de service et versez le restant du mélange miel noix. Servez avec de la crème fraîche, du fromage frais ou du yaourt nature.

Brugnons nappés d'un coulis de melon et d'abricots (p. 111) ;
Gâteau au chocolat chaud (page 120)

CAKE AUX FRUITS EXOTIQUES

100 g de beurre ramolli
100 g de sucre en poudre
zeste râpé et jus de 1/2 orange
2 œufs
1 mangue épluchée et dénoyautée
75 g de raisins secs
100 g de farine à poudre levante
lait
feuilles de menthe pour décorer
Coulis
1 mangue épluchée et dénoyautée
2 fruits de la passion coupés en deux
jus de 1 orange
5 cl d'eau

Ce gâteau très léger est servi avec un délicieux coulis de fruits jaunes. Si vous ne trouvez pas de mangues, utilisez n'importe quel autre fruit coloré.

▷ Beurrez quatre ramequins.

Travaillez le beurre, le sucre et le zeste d'orange jusqu'à obtention d'une crème légère. Ajoutez les œufs un par un en mélangeant bien pour qu'ils ne prennent pas. Hachez la moitié de la mangue, en réservant l'autre moitié pour la décoration. Ajoutez au mélange les raisins secs, le jus d'orange et la mangue hachée. Incorporez délicatement la farine et le lait en quantité suffisante pour que le mélange ne soit pas trop épais. Versez dans les ramequins. Couvrez avec du papier aluminium froissé, maintenu en place avec un morceau de ficelle. Mettez dans la cocotte. Couvrez et faites cuire à la vapeur au-dessus de l'eau bouillante pendant 45 minutes. *Vérifiez régulièrement le niveau du liquide et ajoutez de l'eau bouillante si nécessaire.*

Pendant ce temps, préparez le coulis. Mixez la mangue, les fruits de la passion, le jus d'orange et l'eau jusqu'à obtention d'un mélange lisse. Filtrez pour enlever les pépins des fruits de la passion. Le coulis peut être servi chaud ou froid.

Badigeonnez les feuilles de menthe avec de l'eau ou du blanc d'œuf. Plongez les feuilles dans un bol rempli de sucre. Coupez en fines rondelles la moitié de mangue restante. Versez le coulis dans les assiettes. Démoulez les ramequins par-dessus. Décorez avec les feuilles de menthe et les rondelles de mangue.

GÂTEAU AU CHOCOLAT CHAUD

75 g de chocolat noir
3 cuillères à soupe de lait
225 g de farine à poudre levante tamisée.
100 g de beurre ramolli
50 g de sucre en poudre
2 œufs battus
sucre en poudre pour saupoudrer

Pour une fois, oubliez tous vos principes de diététique et servez ce gâteau dans les grandes occasions !

Ce gâteau est délicieux avec de la crème chantilly et une sauce au chocolat.

▷ Beurrez un moule à charlotte de 1 l.

Faites fondre le chocolat avec le lait au bain-marie. Mettez la farine dans un récipient et incorporez-la au beurre avec les doigts jusqu'à obtention d'un mélange grumeleux. Incorporez le sucre, les œufs et le chocolat. Ajoutez du lait si nécessaire pour que le mélange ne soit pas trop compact. Versez le mélange dans le moule. Couvrez avec du papier aluminium beurré ou du papier sulfurisé, maintenu en place avec un morceau de ficelle.

Faites cuire à la vapeur au-dessus de l'eau bouillante pendant 1 1/2-2 heures. *Vérifiez régulièrement le niveau du liquide et ajoutez de l'eau bouillante si nécessaire.*

Démoulez sur le plat de service préalablement chauffé. Saupoudrez de sucre en poudre et servez immédiatement.

LISTE DES PRODUITS

ÉPICES

Cannelle : essayez de vous procurer des bâtons de cannelle qui peuvent être utilisés entiers, puis lavés, séchés et réutilisés une ou deux fois. Si vous n'en trouvez pas, utilisez de la cannelle en poudre.

Cardamome : cet épice, couramment utilisé dans la cuisine indienne, se présente sous la forme d'une petite gousse verte renfermant de minuscules graines noires. Vous pouvez utiliser la gousse entière (mais n'oubliez pas alors de l'enlever avant de servir) ou bien seulement les graines.

Cayenne : le cayenne, ou poivre de Cayenne, est préparé avec des piments rouges séchés et écrasés ; il est donc particulièrement fort !

Clou de girofle : les clous de girofle s'utilisent entiers ou en poudre. N'oubliez pas de les enlever avant de servir, si vous les utilisez entiers.

Coriandre : les graines de coriandre, qui s'achètent entières ou en poudre, sont fréquemment utilisées dans la cuisine d'Extrême-Orient. La coriandre se marie particulièrement bien avec les carottes.

Cumin : les graines de cumin s'achètent entières ou en poudre. Les graines entières se conservent extrêmement bien et gardent longtemps leur arôme.

Gingembre : le gingembre est une racine qui a une forme renflée particulière, une peau rugueuse et une chair de goût très piquant. Enlevez la peau et râpez le gingembre avant de l'utiliser.

Le gingembre en poudre est du gingembre qui a été séché puis réduit en poudre. Il s'utilise dans les plats aussi bien salés que sucrés.

Muscade : achetez si possible des noix de muscade entières qui gardent toute leur fraîcheur et que vous râperez au fur et à mesure de vos besoins.

Paprika : cet épice hongrois de couleur rouge provient d'une variété spéciale de poivrons rouges. D'un goût doux et sucré, il s'utilise traditionnellement dans la goulasch et le stroganoff.

Safran : le safran provient des étamines séchées d'une variété particulière de crocus. Il est très cher et est très utilisé dans la cuisine méditerranéenne. Vous pouvez le remplacer par du colorant alimentaire jaune ou par une pincée de curcuma, pour la couleur ; mais rien ne remplace sa saveur chaude.

FROMAGE

Fromage blanc : fromage non fermenté, fabriqué avec du lait entier ou écrémé, parfois additionné de crème, ou de sel.

Fromage frais : fromage n'ayant subi que la fermentation lactique, salé, mais pas affiné. Il a une texture plus ferme que le fromage blanc.

FRUITS

Abricot : la chair doit être juteuse et sucrée. Choisissez des abricots ni trop fermes, ni écrasés. Les abricots frais arrivent dès avril, en provenance du bassin méditerranéen ; les variétés françaises se trouvent de juin à août.

Brugnon : les brugnons sont une variété de pêches, mais à la peau lisse et luisante. Lorsqu'ils sont mûrs et juteux, leur chair et orangée et sucrée. On en trouve en été.

Figue : les figues, répandues dans tout le bassin méditerranéen, sont disponibles de fin juin à novembre. On distingue les variétés par la taille, la chair et la peau, qui varie du blanc au violet en passant par le vert vif. On trouve toute l'année des figues sèches, provenant presque toutes de Turquie.

Fruit de la passion : les fruits de la passion ont une peau dure violet foncé et ridée, renfermant de nombreux pépins. La pulpe est sucrée et juteuse. Les fruits de la passion se marient très bien avec la mangue et le melon pour faire de délicieux coulis au goût exotique. Ils sont importés et l'on en trouve toute l'année.

Les kiwis : les kiwis sont des fruits exotiques oblongs, recouverts d'une peau rugueuse vert brunâtre ; ils renferment de nombreux petits pépins ; la pulpe est verte et sucrée. On en trouve toute l'année.

Mangue : la mangue est un fruit orangé très parfumé, de taille très variable et pourvu d'un gros noyau. La peau est verte, rouge, orange ou jaune. Choisissez des mangues assez fermes dans lesquelles le doigt s'enfonce légèrement lorsque l'on appuye dessus. On trouve des mangues toute l'année.

HERBES

Aneth : l'aneth accompagne merveilleusement bien le poisson. Ses jolies feuilles sont souvent utilisées pour décorer un plat.

Basilic : plante aromatique originaire d'Italie, dont les feuilles sont vertes et juteuses. Il parfume agréablement tous les plats à base de tomates.

Cerfeuil : herbe verte au parfum délicat qui accompagne très bien le poisson, le poulet et les légumes. Évitez de le faire cuire.

Ciboulette : la ciboulette rappelle l'oignon par sa saveur, mais en plus fin. Elle peut être remplacée par de la ciboule finement hachée.

Citronnelle : cette plante herbacée doit son goût piquant à la présence d'huiles citriques. Elle accompagne très bien le poisson et la volaille.

Coriandre : la coriandre fraîche ressemble un peu au persil ; on l'appelle d'ailleurs persil chinois ou persil arabe. Les Indiens l'utilisent comme le persil. Elle a un goût très particulier et sert à parfumer et à décorer de nombreux plats.

Estragon : l'estragon qui a un goût relativement fort, mais subtil, est l'une des fines herbes les plus courantes ; il accompagne très bien le poisson et le poulet.

Fenouil : le fenouil ressemble à l'aneth, mais avec un goût d'anis plus prononcé. Il sert à parfumer la viande, le poisson et les salades.

Laurier : les feuilles de laurier s'utilisent fraîches ou sèches pour parfumer la viande ou le poisson, ou bien dans les marinades, surtout pour le poulet et le poisson.

Marjolaine : cette herbe d'origine asiatique est souvent appelée aussi origan. Elle est beaucoup utilisée dans la cuisine méditerranéenne.

Menthe : cette herbe délicieuse sert à parfumer l'agneau et à décorer certains desserts.

Persil : il existe deux variétés de persil, l'une à feuilles frisées, l'autre à feuilles plates, qui servent à tout parfumer, viande, poisson et légumes, et à décorer de nombreux plats.

Oseille : l'oseille a été l'une des premières herbes utilisées. Elle est originaire d'Asie et d'Europe où elle était utilisée bien avant l'ère chrétienne. Elle sert à parfumer les potages et les sauces ; les jeunes feuilles s'utilisent entières dans les salades.

Romarin : herbe au parfum d'encens assez fort, qui accompagne très bien l'agneau et le porc.

Sarriette : il existe deux variétés de sarriette, la sarriette des jardins, annuelle, et la sarriette des montagnes, vivace. Elle rappelle un peu le thym par son goût. Ne l'utilisez qu'en petite quantité, car son goût est assez soutenu.

Sauge : herbe classique utilisée dans les sauces et les garnitures, et qui accompagne très bien le poulet et le porc. Ne l'utilisez qu'en petite quantité, car elle a un goût relativement fort.

Thym : l'une des herbes les plus utiles, qui sert à parfumer les bouillons et les sauces, ainsi que les pâtes et les légumineuses. Le thym se marie très bien avec le basilic et parfume agréablement les ragoûts.

LÉGUMES

Asperge : les asperges fraîches apparaissent en avril et, selon les variétés, on en trouve jusqu'en juin-juillet. Lorsque vous en achetez, veillez à ce que les bourgeons soient bien fermés et d'apparence charnue. Les tiges ne doivent pas être fibreuses ; tâtez-les avec l'ongle.

Les asperges vertes poussent en pleine lumière, les asperges blanches sont généralement butées, ou élevées en cave comme des endives. Utilisez si possible les deux variétés à la fois, pour que votre plat soit plus joli.

Aubergine : originaire de l'Inde, elle est aujourd'hui cultivée partout. On en trouve toute l'année. Selon la variété, la peau a une couleur violet plus ou moins foncée, sa forme est très allongée ou presque ronde.

Céleri-rave : le céleri-rave est une variété de céleri cultivée pour sa racine. Celle-ci est une grosse boule, recouverte d'une peau brune fibreuse et sa chair est blanche. Pour éviter qu'elle noircisse à l'air, arrosez-la de jus de citron. On trouve le céleri-rave en hiver, de septembre à avril. Choisissez une boule lourde, qui sonne plein.

Chou-rave : c'est une racine recouverte d'une peau violette qui rappelle par son goût le navet. Achetez de préférence de petits choux-raves qui sont plus tendres et plus doux. On les trouve en hiver.

Échalote : l'échalote est de la même famille botanique que l'ail et l'oignon. Mais son goût fin est tout à fait particulier ; il convient très bien aux sauces et aux marinades. Les deux variétés les plus répandues sont l'échalote grise plus fine, et l'échalote rouge.

Fenouil : le bulbe du fenouil, au goût d'anis, s'utilise comme un légume. Il est disponible d'octobre à mai. Choisissez-le arrondi et sans taches. Essayez d'acheter des bulbes avec des feuilles, celles-ci pouvant servir à parfumer le poisson ou le poulet.

Patate douce : les patates douces ont généralement une forme allongée, bien que l'on en trouve parfois des rondes. La peau est rougeâtre ou violette. Les patates douces n'ont rien à voir avec les pommes de terre, si ce n'est que toutes deux sont des tubercules. La chair des patates douces est orange-jaune ; elle est tendre et sucrée une fois cuite. On en trouve presque toute l'année.

Potiron : les potirons peuvent peser jusqu'à 45 kg, mais sont heureusement vendus en morceaux. Achetez un morceau lisse et non fibreux, d'une belle couleur orangée. On en trouve tout l'hiver.

Raifort : le raifort frais est une racine, et non un légume ; il peut toutefois être épluché et râpé ; il sert alors à parfumer les sauces. On en trouve en automne et en hiver.

Salsifis : les salsifis ont toujours l'air terreux, mais la peau brun foncé est trompeuse. La chair blanche du salsifis est délicieuse ; elle accompagne très bien la viande et le poulet. On les trouve d'octobre à mars.

Topinambour : ce légume, qui ressemble à une racine tubéreuse, est recouvert d'une peau violet-blanc. La chair est blanche ; pour éviter qu'elle ne change de couleur à l'air, il faut l'arroser de jus de citron. Le topinambour sert à parfumer les soupes et accompagne très bien le poulet et le poisson.

LÉGUMINEUSES

Haricots de Lima : autrefois ces haricots en grains, de couleur verte, étaient importés de Madagascar. Ils sont riches en protéines, en fibres et en minéraux, et pauvres en matières grasses. Faites-les tremper toute la nuit, égouttez, rincez et faites cuire à l'eau froide pendant 20 minutes, jusqu'à ce qu'ils soient tendres.

Haricots noirs fermentés : ces haricots de soja, petits et noirs, ont une peau ridée à cause de la fermentation dans le sel. Couramment utilisés dans la cuisine chinoise, ils s'achètent en paquets ou en boîtes dans les magasins de produits exotiques.

Haricots rouges : de taille moyenne, ils se reconnaissent à leur couleur. Peu cultivés en France, ils sont généralement importés des États-Unis ou d'Amérique Latine. Ils sont utilisés dans des plats épicés, ou cuits au vin rouge et au lard. Faites-les tremper toute la nuit, égouttez, rincez et faites cuire à l'eau froide pendant 40 minutes, jusqu'à ce qu'ils soient tendres.

Lentilles : on trouve couramment les lentilles vertes ou blondes. Les lentilles corail, ou roses, se trouvent dans les magasins de produits exotiques. Choisissez les blondes, si vous voulez qu'elles s'écrasent en purée. Selon les cas, il n'est pas obligatoire de les faire tremper. Suivez les instructions du paquet.

Pois chiches : pois ronds de taille moyenne d'une belle couleur dorée, au goût de noisette. Faites-les tremper toute la nuit, rincez et faites cuire à l'eau froide pendant 1 heure ou jusqu'à ce qu'ils soient tendres.

POISSONS ET CRUSTACÉS

Calmar : les calmars sont faciles à nettoyer. Coupez la tête et les tentacules ; retournez la poche et lavez-la soigneusement à l'eau froide. Enlevez la plume transparente. Rincez encore sous l'eau froide et enlevez la fine peau extérieure. Les calmars sont délicieux et peuvent s'utiliser de plusieurs façons.

Congre : le congre est une sorte d'anguille de mer à la chair ferme, mais assez fade. Faites-le cuire à la vapeur au-dessus d'un court-bouillon relevé. On le trouve toute l'année, en provenance de l'Atlantique ou de Méditerranée.

Coquille Saint-Jacques : les coquilles Saint-Jacques sont délicieuses cuites à la vapeur. Elles sont vendues fraîches dans leur coquille ou congelées.

Utilisez de préférence des coquilles Saint-Jacques fraîches. Pour les nettoyer, tenez la coquille et introduisez délicatement la pointe d'un couteau dans la charnière. Ouvrez la coquille en faisant le tour avec le couteau. Jetez les barbes et ne conservez que le muscle blanc et le corail. Rincez-les soigneusement à l'eau froide. Vous trouverez des coquilles fraîches sur le marché de septembre à mai.

Églefin : l'églefin fait partie de la même famille que la morue ; il est vendu entier, ou en tranches ou en filets. Bien qu'un peu moins savoureux que la morue, il est relativement bon marché et peut s'utiliser de nombreuses façons. Si vous ne trouvez pas un poisson pour une recette, vous pouvez toujours le remplacer par de l'églefin à la chair ferme et blanche.

On trouve de l'églefin toute l'année, mais il est meilleur de novembre à février.

Haddock : c'est de l'églefin fumé entier ou en filets. Méfiez-vous s'il est très jaune, car il a probablement été coloré artificiellement et sera certainement fade.

Homard : le homard est un luxe ; mais pour une grande occasion vous pouvez avoir envie de l'essayer. Achetez-le vivant de préférence, il sera bien meilleur.

Choisissez un homard de taille moyenne, qui semble lourd pour sa taille. Les mâles sont plus petits que les femelles, mais ont des pinces plus grosses ; la chair de la femelle est toutefois plus tendre et la queue plus grosse. Les femelles portent également sous la queue des œufs qui peuvent servir à faire un délicieux beurre au homard, mélangé au corail, partie crémeuse qui se trouve dans le thorax des homards. Que vous choisissiez un mâle ou une femelle, la queue doit être souple et faire ressort lorsqu'on la redresse.

On trouve partout la variété prête à cuire (et sans doute congelée), mais sa saveur n'a rien à voir avec celle du homard frais. Pour extraire la chair du homard cuit, posez-le sur une planche à découper, détachez les pinces et les pattes, et ouvrez-les avec un rouleau à pâtisserie ou un maillet en bois. Mettez le homard sur le dos et, avec un couteau pointu, faites une incision au milieu et sur toute la longueur. Écartez les deux moitiés et extrayez la chair. Enlevez les branchies blanches et l'intestin grisâtre.

Lotte : la lotte ou baudroie, est généralement vendue sans la tête, qui est très laide. La chair est ferme et blanche ; une fois cuite, elle se détache facilement de la grosse arête dorsale.

Morue : la morue fraîche est vendue, en France, sous le nom de cabillaud. La taille des morues est extrêmement variable ; les petites sont vendues entières, les grosses en tranches ou en filets.

La chair, ferme et blanche, se cuit très bien à la vapeur. Achetez la morue la plus fraîche possible, en évitant les poissons secs et gris. On trouve de la morue congelée dans la plupart de supermarchés et de la morue fraîche pratiquement toute l'année.

Moules : il y a plusieurs variétés de moules. Les petites moules de l'océan sont françaises (moules de bouchot), hollandaises ou portugaises. Les moules de Méditerranée (Bouzigues) sont plus grosses. On les consomme souvent crues.

Pour les nettoyer, lavez-les sous l'eau froide. Grattez l'extérieur et enlevez les filaments fibreux. Rejetez celles qui sont cassées ou qui restent ouvertes sous l'eau froide. Il vaut mieux les utiliser le jour de l'emploi. Si vous les mettez dans le réfrigérateur, n'attendez pas plus de 24 heures. Après cuisson, rejetez celles qui ne se sont pas ouvertes.

Mulet : le mulet est un poisson d'estuaire gris, rayé de noir et mesurant jusqu'à 50-60 cm de long. Sa chair est maigre, blanche et plutôt molle. N'achetez pas des poissons trop grands à la chair flasque. Passez le poisson sous l'eau froide et écaillez-le soigneusement. Si le poissonnier l'a déjà fait, vérifiez quand même qu'il ne reste plus d'écailles sur la tête, derrière ou autour des petites nageoires, autour de la queue, en allant à contresens des écailles, c'est-à-dire de la queue à la tête.

Palourdes : les palourdes ressemblent un peu à des galets. Elles sont vendues vivantes dans leur coquille, comme les moules, et sont souvent servies crues comme les huîtres. On en trouve toute l'année, mais elles sont meilleures en hiver.

Plie : la plie est un poisson plat relativement bon marché, qui se reconnaît aux taches orange apparaissant sur son dos. Ces taches doivent être brillantes et d'un bel orange. La plie se vend entière ou en filets. Si elle a encore la peau, prenez le temps de l'enlever, elle n'en sera que meilleure. Ce poisson n'ayant pas beaucoup de goût, il doit être bien assaisonné.

Rouget : le rouget-barbet (ne pas confondre avec le grondin) est un poisson de mer à la peau rouge, à la chair blanche et ferme, fine, mais pleine d'arêtes. C'est un poisson fragile, à consommer rapidement, bien frais. On en trouve presque toute l'année, de l'océan, de la Méditerranée ou du Sénégal. Vérifiez qu'il ne reste plus d'écailles.

Les rougets sont appelés « bécasses de mer », car on ne les vide pas, lorsqu'ils sont très frais. Et de toute façon, on laisse toujours le foie à l'intérieur.

Saumon : les saumons sont des poissons vigoureux qui passent une partie de leur vie en mer, mais naissent et se reproduisent en eau douce.

Lorsqu'il est frais, le saumon doit avoir des écailles argentées brillantes, et sa chair grasse doit être bien rose. Ce sont les petits crustacés qu'il mange qui donnent cette couleur.

N'achetez pas de saumon congelé, remplacez-le plutôt par du turbot frais ou du cabillaud. Rien ne vaut une tranche de saumon bien cuite, rien n'est pire que du saumon trop cuit et complètement desséché.

Saumon fumé : on trouve du saumon fumé français et écossais, danois ou canadien. Le saumon fumé écossais, moelleux, rose-orangé, est le plus fin et le plus cher. Les autres variétés sont un peu plus sèches, mais également très bonnes.

Scampi : les scampi sont des sortes de langoustines pêchées au large de l'Italie, d'environ 10 cm de long. On en trouve toute l'année.

Sole : la sole et la limande-sole sont deux poissons plats très appréciés. La sole a une peau olivâtre avec des traits irréguliers noirs, une chair ferme, de goût très fin ; c'est la plus chère des deux. La limande-sole a une peau brune avec des taches brun foncé sur le dos ; elle est un peu plus large. Sa chair est moins ferme et son goût moins fin.

Les deux variétés sont vendues entières (c'est la sole-portion), ou en filets. On en trouve toute l'année, mais la sole est meilleure de mai à février et la limande-sole de décembre à mars.

Truite saumonée : malgré son nom, la truite saumonée n'a aucune parenté avec le saumon. Elle a seulement une chair rose et ferme, due à une alimentation riche en crustacés, comme le saumon. Elle se sert chaude ou froide, avec de la sauce hollandaise ou de la mayonnaise au cresson. La truite saumonée pèse 1 à 3 kg et est meilleure de mars à juillet.

Turbot : le turbot est à mon avis le meilleur des poissons plats, mais c'est aussi l'un des plus chers. Sa chair blanche, moelleuse et fine, est particulièrement délicieuse cuite à la vapeur. Il est vendu en tranches, en filets ou bien entier. On en trouve toute l'année, mais il est meilleur d'avril à juillet. Toutes les recettes de la barbue et du saint-pierre lui sont applicables.

RIZ ET AUTRES CÉRÉALES

Bulghur : le bulghur, au goût de noisette, remplace très bien le riz ; on le trouve dans de nombreux magasins de produits diététiques et dans certains supermarchés. C'est l'ingrédient de base du taboulé libanais.

Couscous : variété de semoule de blé couramment utilisée en Afrique du Nord et en France.

Farine de maïs : elle a une couleur jaune et un délicieux goût de noisette. C'est l'ingrédient de base de la *polenta* italienne, cuite avec de l'eau ou du lait. En France, c'est une spécialité des Dombes, de la Bresse et de Franche-Comté, sous le nom de gaudes.

Riz : le riz est l'une des plus anciennes céréales cultivées par l'homme. Il était déjà cultivé en Chine 3 000 ans av. J.C. Il constitue la nourriture de base de plus de la moitié de la population mondiale. L'Amérique est devenue le premier exportateur de riz. Avant de le faire cuire à la vapeur, lavez le riz en changeant l'eau plusieurs fois de suite jusqu'à ce qu'elle soit claire. N'utilisez pas de riz précuit qui n'a ni goût, ni la consistance voulue pour la cuisson à la vapeur. Le riz français provient de la Camargue.

Basmati : riz de qualité supérieure à très petits grains longs, cultivé au Pakistan et en Inde, ayant un goût particulier et une couleur plus soutenue.

Patna : autre variété de riz à grains longs, bon marché et que l'on trouve partout.

Semoule : produit intermédiaire obtenu par mouture des grains. La meilleure qualité provient de la mouture du blé dur ; elle se reconnaît à sa couleur jaune et à ses granulés pointus.

VIANDE

Agneau : l'agneau, très nourrissant, est riche en fer, en vitamines et en sels minéraux. La taille, tout comme la couleur, varie en fonction de l'âge et de la race. Les petites races, avec de la graisse ferme et blanche, donnent de la viande de meilleure qualité. La viande provenant de jeunes agneaux est plutôt rose pâle, alors que celle des animaux plus âgés est rouge foncé.

Comme le bœuf, l'agneau est meilleur si on laisse la viande rassir un certain temps, avant de la découper. On trouve sur le marché de l'agneau de lait (abattu avant sevrage), de l'agneau blanc (abattu entre 70 et 150 jours) nourri avec des aliments à base de lait, et l'agneau broutard (qui a déjà brouté de l'herbe).

La viande d'agneau doit être suffisamment cuite, mais elle peut rester rose au milieu.

Bœuf : le bœuf doit être bien rassis, ce qui lui donne meilleur goût. La viande sera d'un beau rouge et persillée, c'est-à-dire veinée de graisse, ce qui l'empêche de se dessécher au cours de la cuisson.

Les morceaux bon marché sont tout aussi nourrissants que les morceaux plus chers, mais ils nécessitent une préparation et une cuisson plus longues. Les bons morceaux sont servis légèrement saignants, roses au centre.

Le porc : la demande de morceaux maigres étant en nette augmentation de nos jours, les porcs sont abattus plus jeunes. La viande doit être blanc-rosâtre.

La graisse, blanche, doit être lisse et ferme, et nullement huileuse. Les os doivent être brillants. Le porc doit toujours être bien cuit, pour éviter tout risque d'infection. Il contient davantage de vitamine B1 que n'importe quelle autre viande, et est donc recommandé en cas de fatigue.

Veau : on distingue le broutard, plus courant, qui, comme son nom l'indique, a brouté de l'herbe, et le veau de lait, ou veau blanc, qui est plus cher.

Le veau, ayant peu de graisse, convient parfaitement à la cuisson à la vapeur qui empêche la viande de se dessécher. Choisissez de la viande rose pâle, recouverte d'une fine pellicule de graisse blanc crémeux.

Les morceaux de veau, comme leurs noms, ressemblent plus à ceux de l'agneau qu'à ceux du bœuf. Assaisonnez abondamment cette viande qui a tendance à être fade.

Venaison : ce terme désigne la chair comestible du gros gibier à poil. Achetez de préférence de la viande provenant d'un jeune mâle, meilleure et plus tendre que celle provenant de la femelle. La viande doit rassir au moins une semaine, avant marinade et utilisation.

La chair doit être rouge foncé et recouverte d'une couche de graisse ferme et blanche. Les meilleurs morceaux sont la selle et les cuissots, mais ce sont bien sûr les plus chers.

La venaison convient parfaitement à la cuisson à la vapeur, car elle a tendance à se dessécher lorsqu'elle est mal cuite.

Abats : la plupart des abats sont très nourrissants ; mais malheureusement, on ne sait plus très bien aujourd'hui comment les cuisiner, mis à part, bien sûr, les cervelles, les ris et le foie de veau, considérés comme des mets raffinés.

La plupart des abats sont relativement bon marché, cuisent rapidement et ne contiennent ni graisse, ni os. Tous doivent être consommés le jour de l'achat, sous peine de devenir toxiques. Ils seront toujours conservés au réfrigérateur.

Cervelle de veau : la cervelle de veau doit tremper pendant deux heures dans de l'eau froide renouvelée régulièrement, pour éliminer le sang restant. Elle est appréciée pour sa consistance crémeuse, mais elle est chère et parfois difficile à trouver. La cervelle d'agneau est également très bonne, quoique un peu moins fine.

Foie de veau : le foie de veau a un goût particulièrement fin et savoureux, mais il est très cher. Il doit être brun crémeux, pâle et mou au toucher. Demandez à votre boucher d'enlever les nerfs et les parties non combestibles.

Ris de veau : les ris de veau, qui proviennent du thymus, sont vendus par deux ; ils sont délicieux, mais très chers. Ils peuvent être remplacés par des ris d'agneau, plus petits, mais moins chers. Tous les ris doivent tremper pendant 3 heures dans de l'eau froide renouvelée régulièrement, pour éliminer le sang restant.

Cœur d'agneau : le cœur d'agneau est le plus petit de tous les cœurs d'animaux. Pour lui donner du goût, on peut le farcir avec de nombreux ingrédients. Pauvre en matières grasses, il convient parfaitement à la cuisson à la vapeur qui l'empêche de se dessécher. Choisissez un cœur rouge vif et bien ferme.

Rognons d'agneau : les rognons d'agneau se consomment couramment. Ils ne sont ni trop forts, ni trop fades, et constituent un plat savoureux. Ils doivent être légèrement bruns et bien fermes.

Vous pouvez les remplacer par des rognons de veau, qui sont plus chers et plus fins. Enlevez les parties blanches et les nerfs avant cuisson.

Foie d'agneau : le foie d'agneau est ce qu'il y a de meilleur après le foie de veau, tout en étant un peu moins fin ; il est légèrement moins cher. Il doit être brun rougeâtre.

Langue de bœuf : la langue de bœuf est vendue fraîche ou fumée. Si elle est fumée, vous devrez la faire tremper dans l'eau pendant 12 heures. Elle doit être molle au toucher. Enlevez la peau dure qui la recouvre, après cuisson.

Une fois cuite, vous pouvez la mettre dans un moule rond, pour lui donner une forme arrondie.

VOLAILLE ET GIBIER

Canard : les canards domestiques sont relativement gras, mais, la graisse se trouvant sous la peau, elle peut être enlevée avant de faire cuire le canard. Ne l'enlevez pas si vous faites rôtir le canard, car il est meilleur lorsqu'il cuit dans sa graisse. Les meilleures races sont le canard de Rouen, le canard nantais et le canard de Barbarie. On trouve du canard toute l'année. Un canard adulte de

2 kg suffit pour 6 personnes. S'il est farci, vous pourrez servir 8 personnes.

Le **caneton**, ou cannette, plus petit, ne pèse que 1,3 à 1,5 kg. Comptez un caneton pour quatre.

Le **colvert** est un canard sauvage qui n'a pas le même goût que ses cousins domestiques, ni le même rapport viande-os. Les pertes sur le canard sauvage sont infiniment moindres et la chair est beaucoup plus savoureuse. Le canard sauvage est meilleur de septembre à décembre.

La **sarcelle** est plus petite que le colvert, mais tout aussi bonne.

Dinde : on trouve des dindes toute l'année, bien qu'on en mange surtout à Noël. La dinde qui pèse en moyenne 4 à 6 kg est très économique. Si vous la faites rôtir, comptez 350 g par personne.

C'est une chair qui a tendance à se dessécher au cours de la cuisson ; elle sera délicieuse cuite à la vapeur, dans du papier aluminium.

Achetez de préférence une dinde plutôt qu'un dindon, la dinde étant plus charnue et ayant des pattes plus petites. Dans toutes les recettes, vous pouvez remplacer le poulet par de la dinde ; le temps de cuisson reste le même.

Faisan : les poules faisannes sont généralement meilleures que les coqs, et moins chères. Achetez de préférence des oiseaux jeunes, avec un bec et des pattes souples. Selon sa taille, le faisan peut servir quatre ou cinq personnes.

Pigeon : bien que longtemps méprisés, les pigeons apparaissent aujourd'hui de plus en plus souvent dans les menus des restaurants ; ils sont bon marché et on en trouve facilement toute l'année. Leur chair ferme a un goût relativement fort. Comptez un pigeon par personne.

Pintade : aujourd'hui, les pintades sont engraissées pour la table et on en trouve toute l'année.

La chair est blanche et d'un goût relativement doux. Comptez une pintade pour quatre.

Poulet : les poulets vendus aujourd'hui sont généralement jeunes et tendres. La chair doit être blanche et dodue, le bréchet et les pattes doivent être souples.

On trouve des poulets frais ou congelés toute l'année ; la plupart sont déjà plumés, vidés et bridés, c'est-à-dire prêts à cuire. Faites toujours décongeler complètement un poulet congelé avant cuisson, et n'oubliez pas d'enlever les abattis.

Comptez 225-350 g par personne. Les poulets sont vendus sous des noms différents selon leur âge et leur poids :

Poussin : animal abattu très jeune, pesant 250 à 300 g. Comptez un poussin par personne.

Coquelet : poulet de 6 semaines environ, pesant 1 kg. Comptez un coquelet pour deux.

Poulet : poulet un peu plus âgé et pesant entre 1,2 et 1,8 kg. Il sert 4 personnes.

Chapon : jeune coq châtré à la chair savoureuse, pesant 3 kg et plus.

Poule à bouillir : poule ayant terminé la période de ponte. C'est une poule grasse, mais dont la chair est excellente. Elle doit cuire lentement.

INDEX

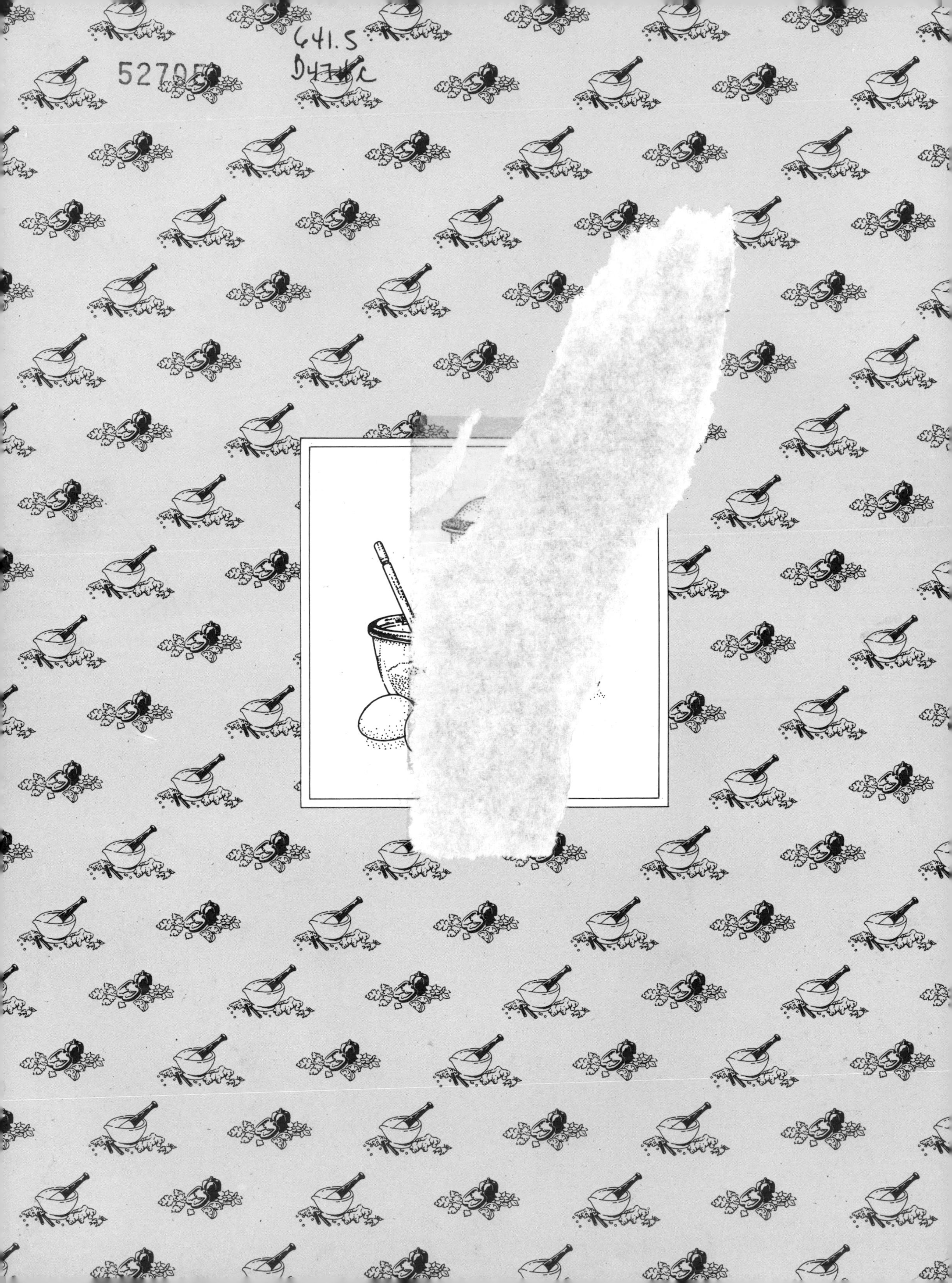